D0636185

Meeuwen

Ander werk van Bernlef

Constantijn Huygensprijs 1984
P. C. Hooftprijs 1994

Achterhoedegevecht (voorheen *Stukjes en beetjes*, roman, 1965)
Sneeuw (roman, 1973)
De man in het midden (roman, 1976)
Onder ijsbergen (roman, 1981)
Hersenschimmen (roman, 1984) Diepzeeprijs 1989
Publiek geheim (roman, 1987) AKO Literatuur Prijs 1987
Ontroeringen (essays, 1991)
Niemand wint (gedichten, 1992)
Schiet niet op de pianist. Over jazz (essays, 1993)
Vreemde wil (gedichten, 1994)
Alfabet op de rug gezien. Poëzievertalingen (1995)
Cellojaren (verhalen, 1995)
Achter de rug. Gedichten 1960-1990 (1997)
Verloren zoon (roman, 1997)
De losse pols (essays, 1998)
Aambeeld (gedichten, 1998)
Meneer Toto – tolk (proza, 1999)
Haalt de jazz de eenentwintigste eeuw? (essays, 1999)
Boy (roman, 2000)
Bernlefs Beste volgens Bernlef (2000)
Bagatellen voor een landschap (gedichten, 2001)
Tegenliggers. Portretten en ontmoetingen (2001)
Verbroken zwijgen (verhalen, 2002)

Bernlef

Meeuwen

AMSTERDAM
EM. QUERIDO'S UITGEVERIJ BV
2002

Eerste druk, 1975; tweede druk, 1979; derde druk, 1986;
vierde druk, 1993; vijfde druk, 2002

Omslag Brigitte Slangen
Foto omslag Feddo van Gogh
Foto auteur Chris van Houts

ISBN 90 214 5263 4 / NUR 301
www.boekboek.nl

‘Meneer?’

‘O ja. Natuurlijk.’

Hij reikte het hel geblondeerde winkelmeisje een notitieboekje met een zwarte gemarmerde kaft aan.

‘Dit graag,’ zei hij.

Ze schoof het kassabloc met haar elleboog opzij en schreef een bon uit. Haar haar viel langs haar bolle wangen steil en sluik voor haar gezicht. Even keek hij op haar kruin. Een rond donker kransje van nieuw haar. Haar groeide door. Altijd. Of, laten we zeggen, nog een tijdje.

‘Verder nog iets van uw dienst?’

Hij schudde zijn hoofd, keek langs het meisje naar de grijsmetalen schappen vol schrijfbehoeften. Het rook in de winkel naar potloodslijpsel en papier, zwakke geuren die iets met vroeger te maken hadden. Hij kon zich niet herinneren met wat precies.

‘Het is toch wel gelinieerd?’ vroeg hij terwijl hij het zakje van de toonbank pakte.

Het meisje knikte. Ze was met haar gedachten ergens anders.

Het zakje kraakte. Hij bleef staan.

Het meisje legde haar handen op de toonbank. Roodgelakte korte nagels op een donkerbruine houten toonbank vol krassen en balpenvlekken. De vingers liepen uit in vetkussentjes, als bij een baby.

‘Wat vergeten?’

Hij herkende de toon. Zo spraken jonge mensen tegen ouderen, tegen iemand die een ogenblik onzeker is, om zich heen kijkt, het even totaal niet meer lijkt te weten. Ik moet niets laten merken, dacht hij. Hij draaide zich zwijgend om en ging de winkel uit.

Op straat wilde hij het notitieboekje in de binnenzak van zijn grijze jas schuiven. Het lukte niet. Hij haalde het boekje uit het papieren zakje dat hij al lopend in elkaar propte en weggooide. Nu paste het net. Hij keek even over zijn schouder naar de prop papier, die door de wind tot vlak voor een plas werd gerold en daar als op bevel bleef liggen.

Hij liep met een opgericht hoofd. Hij voelde de wind tegen zijn hals. Daarom zette hij zijn kraag op. In een rimpelende plas lag een hoop samengekitte kastanjebladeren.

De kantoorboekhandel had hem herinnerd aan het magazijn op zijn werk. Schappen vol dunne en dikke boeken. De hoofdpijnverwekkende lucht van papier dat te lang gelegen heeft. En nog iets anders. Er was nog iets anders.

Een week vakantie? Paalman had zijn wenkbrauwen opgetrokken. Nu, eind oktober?

'Ik heb er recht op.'

Paalman beaamde het. Ja, hij had er recht op, dat was zo.

'Familieomstandigheden?'

Arend Wijtman schudde zijn hoofd en noemde de naam van het eiland.

'Zomaar,' zei hij.

'Gaat daar dan nog een boot heen om deze tijd van het jaar?' vroeg Paalman.

Hij knikte. Hij had ernaar geïnformeerd. Om vier uur vertrok er een boot naar het eiland die de volgende ochtend om acht uur weer terugkeerde. Op zon- en feestdagen een halfuur later.

'Ik hoop maar niet voor je dat je zeeziek wordt. Je ziet al zo bleek.'

Paalman lachte. Hij vond het maar raar, dat zag Arend Wijtman wel, maar vermoeden deed hij niets.

Hij aarzelde, koos toen de niet-roken-coupé. De jongen tegenover hem keek even opzij en toen weer naar buiten. De trein begon net te rijden toen Arend Wijtman zijn zwarte koffer in het bagagenet tilde. Hij trok zijn jas uit en hing hem aan het haakje naast de hoofdsteun.

De trein schoof van onder de overkapping het station uit. Zijn ogen knipperden tegen de plotselinge inval van het licht. De wolken zaten hoog. Sommigen vertoonden donkere randen. Ze bewogen met grote snelheid van hem vandaan. Daarboven moest het stormen. Hier beneden golfde het water van de haven kalm en geolied langs scheepsrompen en kadewanden. Meeuwen zaten in groepjes van vier, vijf, wit en dobberend op het water bijeen.

De trein meerderde snelheid.

Hij schraapte zijn keel. Hij mocht zijn stem niet forceren. Plotseling glimlachte hij tegen de jongeman tegenover hem, maar de jongen was in slaap gevallen, zijn hoofd scheef tegen de wijnrode leren hoofdsteun aan gezakt. Een donker vlekje in zijn hals kwam net boven de kraag van zijn witte overhemd uit.

Arend Wijtman boog zijn hoofd en keek star naar zijn knieën. Hij vouwde zijn handen eroverheen en wreef. Hij wreef net zo lang tot zijn handpalmen weer droog waren. Kurkdroog. Toen keek hij nog eens naar het vlekje in de hals van de slapende jongeman tegenover hem.

Het was een zuigplek, meer niet.

Een salonboot, zo noemden ze zo'n boot vroeger. Wit en tweedeks, met een licht achteroverhellende pijp. Tussen de dekken steile zilvergrijze trappetjes met geribbelde treden tegen het uitglijden. De boot lag hoog op het water langs de kade gemeerd. Door de patrijspoorten kon hij in de donkere betimmerde kajuit kijken. Op iedere tafel stond een groene reclameasbak.

Naast hem op de kade kletste een vlaggentouw hoog en zoemend tegen een holle metalen mast. Hij keek naar boven. Geen vlag. Het seizoen was voorbij.

Zijn koffer had hij al afgegeven, maar zelf was hij nog te vroeg, had de man in het houten huisje op de kade gezegd.

'U hebt nog een uur kapot te slaan.'

Het had hem moeite gekost zich zonder iets te zeggen af te wenden. Hij was er zich van bewust dat hij het te abrupt had gedaan, de ander misschien de indruk had gegeven onbeleefd te zijn.

Hij liep over de singels van het kustplaatsje. Een uur kapotslaan. De tijd doden. Een andere uitdrukking voor hetzelfde.

Zijn grijze flaneljas klapperde tegen zijn benen. Hij haalde diep adem. Geen pijn. Hij slikte. Een man op een ladder stond de houten bovengevel van zijn huis lindegroen te schilderen. Hij slikte nog een keer. Geen sprake van pijn.

Voor de etalage van een boekwinkel bleef hij met een lauwe beroepsmatige belangstelling staan. De winkel was gesloten, maar toch herkende hij de buitenlandse pocketseries in het halfdonker. Fischer, Livre de Poche, de DTV-pockets met hun zwarte stippen op de rug. Voor de winkel stond een ijzeren krantenrek met een hem onbekend dagblad erin. Het bovenste exemplaar was een beetje vochtig.

Hij hield links aan. Zo zou hij vanzelf weer bij de kade uitkomen. De wijzers op een kerkklok glitterden wanneer de zon tussen de wolken vrijkwam. Nog een halfuur. De bomen waren hier nog kaler dan in de hoofdstad. Hij hoorde kinderen in koor een tafel opzeggen; de tafel van zes.

Had Paalman, zijn chef, toch niet een beetje gelijk gehad?

'Maar de stad is uitgesloten!'

Hij schrok van zijn eigen stem op de stille singel, beet op zijn lippen. Hij schudde even kort en woedend zijn hoofd. Dit mocht hem niet meer gebeuren. Nooit meer. Je moet niet meer praten, dacht hij. Hij probeerde zich te concentreren.

Hij bleef staan, midden op het trottoir, en keek om zich heen.

Niemand die hem had zien of horen praten. Of misschien toch; iemand achter een van die spionnetjes. Haastig liep hij door.

Weer aan de havenkade trok hij een kroket. De kroket was lauw. Etend bekeek hij de etalage van een winkel in scheepsartikelen. Hij zag zichzelf in de winkelruit als een transparante kauwende man met ter hoogte van zijn ingewanden een verzonken scheepskompas. Waar zijn hart zou moeten zitten, stond een groene stormlamp op een rol touw.

Hij haalde het notitieboekje uit zijn binnenzak. De blaadjes flapperden in de wind. Hij schreef iets op. Daarna stapte hij de winkel binnen.

De zeewind blies zijn kraag omhoog. Hij stond met zijn rug naar het voordek. Hij haalde de kijker uit het stugge nieuwe foedraal, zette hem voor zijn ogen en stelde hem in op de meeuwen die boven het brede schuimende zog van de boot meegleden. Hij telde vijf gewone, wat vuilwitte zeemeeuwen, twee wat kleinere kokmeeuwen, en een mantelmeeuw, die hij herkende aan de helgele teenvliezen.

Hij richtte zijn kijker op het land. Golven spatten in vernevelde wolken uiteen tegen de voor de havenpieren opeengestapelde basaltblokken. Aan beide uiteinden draaide op een ijzeren driepoot een havenlicht rond.

Langzaam draaide hij met de kijker voor zijn ogen een halve slag om.

Arend Wijtman was helemaal alleen op het bovendek en

tuurde door zijn gloednieuwe Japanse kijker in de verte. Hij had de kijker niet gekocht om het eiland eerder dan met zijn eigen ogen te kunnen zien. Hij had de kijker gekocht om zichzelf te overtuigen dat de wereld voor hem nog onder handbereik lag. De kijker was dus eigenlijk een soort prothese.

De man in de winkel had aanvankelijk gedacht dat hij ook niet kon horen. Hij toeterde zijn aanbevelingen over Duitse en Japanse merken in Arend Wijtmans oor. Met sussende gebaren had hij de winkelier tot matiging van diens stemgeluid proberen te manen, maar de man bleef even luid en nadrukkelijk spreken. Alsof hij met een imbeciel te doen had, iemand die heel traag van begrip was. Misschien zag hij er ook wel zo uit, knikkend en glimlachend en steeds maar weer op die ene zin in zijn boekje wijzend.

De boot veranderde van koers. Hij moest zich even aan de reling vasthouden. De kijker bungelde aan een leren riem voor zijn borst heen en weer. Het was koud. Last van zeeziekte zou hij niet krijgen. Hij wilde de gang naar de kajuit zo lang mogelijk uitstellen, al waren er maar drie andere passagiers aan boord: een ouder echtpaar en een meisje met een schooltas van legerstof.

Plotseling zat de bobbel in zijn hals. Van het ene moment op het andere, leek wel. Midden in de nacht was hij wakker geworden. Zijn hand vond de bobbel onmiddellijk, alsof zijn hand eerder dan hijzelf wist dat die sponsachtige verdikking met zijn harde kern daar zat.

Nee, pijn deed het niet. Ook niet met slikken nee, en een hese stem had hij al jaren. Van het roken waarschijnlijk.

Daar moest hij onmiddellijk mee stoppen en hier was een briefje voor de specialist.

Hij zat met een wijdgeopende mond op een stoel.

De specialist keek met spiegels in zijn keel, drukte wat op de bobbel en stuurde hem door naar een andere specialist. Ook die zei dat hij niet meer moest roken.

Alle dokters hadden langs of over hem heen gekeken, alsof hij alleen maar een bobbel was, een weke massa met een harde kern waar je met een peinzende afwezige blik wat in drukte. Op één na.

De arts van het ziekenhuis had hem aangekeken, naar zijn leeftijd en beroep gevraagd en een afspraak met hem gemaakt om de resultaten van het onderzoek te bespreken.

Op een woensdagochtend, nu tien dagen geleden, was hij opgeroepen.

De dokter droeg een kaki spijkerpak. Op zijn bureau lag een opengeslagen map met papieren en foto's.

Hij hield er niet van ergens doekjes om te winden, zei de arts terwijl hij een paperclip verboog. Er was sprake van een carcinoom van de larynx, keelkanker zogezegd.

'Wij willen u over drie weken opereren. Uw kansen

liggen vrij gunstig, zo'n vijftig procent. U zult alleen opnieuw moeten leren spreken.'

Arend Wijtman had iets willen zeggen, vragen, maar de dokter had een stuk papier en een pen gepakt en had het voor hem uitgetekend. Toen hoefde hij niets meer te vragen.

Zijn strottenhoofd zou verwijderd worden en hij zou met zijn slokdarm moeten leren praten.

Dat kon.

'We hebben hier een aantal mensen in de nazorg waarmee we heel goede resultaten boeken.'

Goede resultaten, gunstige kansen, om en nabij de vijftig procent.

De dokter bladerde in zijn bureauagenda.

'Als u zich hier op één november meldt. Om tien uur.'

Het eerste moment van ontzetting was sprakeloos, onherhaalbaar en viel niet eens te herinneren omdat het alles, woorden, beelden uit hem had weggezogen. Uit ieder gesprek leek de grammatica weggezakt. Het viel achteraf misschien nog het best te vergelijken met hevige pijn die ook de buitenwereld uiteen deed vallen in zinloze, stuitend rauwe brokken werkelijkheid.

Hij werd bang voor de nacht waarin hij het gezwel nu als een inwendige vinger tegen zijn halswand voelde kloppen en groeien, zich steeds dieper vastbijtend in zijn strottenhoofd dat hij binnenkort niet meer zou hebben.

'U zult alleen opnieuw moeten leren spreken.'

Hoeveel woorden sprak een mens in een maand, een week, op een dag?

Aan de buitenkant kon je niet zien of iemand spreken kon.

Hij had zich voor de badkamerspiegel uitgekleed. In de buik vielen drie donkere overdwars lopende plooien, waartussen zijn navel schuilging. Een man van een jaar of vijftig, dat was duidelijk. Een man van eenenvijftig die huilde, onhoorbaar maar heftig.

Daarna was de woede gekomen, de driftvlagen. De koffiejuffrouw op zijn werk die excuses eiste. De hem verbijsterd nastarende ogen van het cafetariapubliek toen hij met een ruk zijn stoel naar achteren schoof en achter de deur Toilet verdween waar hij de kraan van de wasbak opendraaide om zijn hese gejank en het gebonk van zijn vuisten tegen zijn eigen lijf voor de anderen te verbergen.

En toen de berusting. Dof. Bij alles wat hij meemaakte denken: dit is de laatste keer.

'Na iedere crisis sterf je een beetje.' Dat had hij een kankerpatiënt eens op de radio horen zeggen.

Aan de buitenkant was er niets aan hem te zien. Hij kocht coltruien in plaats van overhemden en ging op reis.

Hij had het eiland zomaar, in een opwelling, als reisdoel gekozen. Omdat je nu eenmaal een doel moest hebben als je op reis ging.

Hij stelde de kijker opnieuw in en zocht de verhoging in de verte op. Wat met het blote oog nog niet meer dan een witte glimmer was als de zon even doorbrak, tekende zich in de lenzen van de kijker als een witte vuurtoren af. Hij lag als een vooruitgeschoven post op een rotseilandje voor de haveningang van het eiland.

Voor hij de kajuit binnenging telde hij nog een keer de meeuwen. Waren het dezelfde? De mantelmeeuw was er in ieder geval niet meer bij. Teruggekeerd naar het vasteland misschien. Of in z'n eentje ronddobberend op het grijsgroene water. Dat was een beeld dat hij verdragen kon. Een mantelmeeuw dobberend op de golven. Het verzoende hem even met zijn toestand, met het grauwe rondom hem deinende water. Hij ging naar binnen.

Het echtpaar zat aan het achterste tafeltje nauwelijks in het bereik van de drie plafonniers die een smoezelig licht verspreidden. De vrouw zat bij de patrijspoort en staarde in het voorbijkolkende water. De man had een in bruin papier gewikkeld pak voor zich op tafel. Hij staarde voor zich uit en wriemelde aan het rafelende uiteinde van een touw waarmee het pak zat dichtgebonden. Het schoolmeisje zat een paar tafeltjes van het echtpaar vandaan aan de andere kant van het looppad. Hij voelde dat er in de kajuit lange tijd niet gesproken was. Het meisje zat in een blauwgekaft boek te bladeren. Meetkunde, zag hij aan de illustraties.

Hij ging met zijn rug naar hen toe aan een tafeltje zitten.

Voor hem lag een krant. Even las hij vluchtig de koppen. Bodemverzakking gevolg van aardgaswinning. Vogelreservaat bedreigd. Restauratie St. Adelbertskerk voltooid. Hij vouwde de krant op, ontdeed zich van de kijker en haalde zijn boekje te voorschijn. Hij stak het uiteinde van zijn balpen in zijn mond. Hij dacht na terwijl hij naar het rondwoelende water tegen de patrijspoort keek. Toen begon hij te schrijven. Kleine regelmatige letters.

De doffe stoten op de scheepstoeter maakten niets los bij de drie mannen op de kade, die pas in beweging kwamen en de witte aanlegsteiger opliepen toen de boeg van het schip die al voorbij was. Drie nog tamelijk jonge mannen in spijkerbroek en donkerblauwe trui, eilandbewoners met fladderende blonde haren, nu plotseling bedrijvig in de weer met het vastsjorren van trossen en het aanpakken van de smalle loopplank.

Arend Wijtman stond aan de reling van het benedendek en keek naar het rijtje lage huizen aan het haventje, meest winkels met een houten woongedeelte erboven. Helemaal links in zijn gezichtsveld lag een massieve betonnen hal met een eigen aanlegsteiger, waar naast elkaar een paar vissersboten lagen afgemeerd. Hij zette de kijker aan zijn ogen. Normans Visafslag stond er in vierkante zwarte letters op de smetteloos witgeschilderde zijmuur. Aan de andere kant van het haventje dobberden wat afgetuigde zeiljachten. De masten bewogen als tegen elkaar in tikkende metronomen. De houten steigers glommen van het vocht. De zon was achter een massief van voortjagende wolken verdwenen. Het woei hier harder dan op het vasteland.

Arend Wijtman greep met beide handen de reling vast. Een van de eilandbewoners stond plotseling met zijn koffer in de hand en tilde hem van boord. Hij staarde naar de koffer op de betonnen strip, een zwarte koffer met een rood label, volkomen roerloos op het beton dat aan de randen gebarsten was. Daar groeide wat mager gras tussen het gruis.

De wind stond pal op het eiland en joeg korte golven met rollende schuimkoppen op hem af. Hij keek van het onafgebroken aangutsende water naar de koffer op de wal. Zijn keel werd kurkdroog. Hij wreef met de rug van zijn hand over zijn bezwete voorhoofd.

De koffer stond op de kadekant en wilde dat hij wegging, ophield, verdween. De koffer probeerde hem te verstoten. Zo was het.

'Verder gaan we niet, meneer.'

Om zijn gezicht niet aan het bemanningslid te hoeven tonen, knikte hij vluchtig en tuurde in de smalle schacht tussen de scheepswand en de palen van de steiger. Naast een halfgezonken plastic vuilniszak deinde de witte buik van een vis.

Hij liep als laatste over de loopplank in een rechte lijn naar de koffer. Hij pakte de koffer beet zoals je een hond bij de halsband vat en liep langzaam in de richting van de huizen. Het echtpaar met het pak en het meisje met haar bungelende schooltas gingen de andere kant op.

In een winkelruit zag hij zichzelf voorbij komen. Een man in een grijze jas met visgraatmotief die een zwarte koffer droeg, een opvallend nieuwe kijker in een leren foedraal bungelend voor zijn borst. Geen twijfel mogelijk. Een toerist.

Hotel-Café/Biljart Van Dam telde twaalf kamers. Drie rijtjes van vier sleutels aan het ebbenhouten sleutelbord achter de tapkast.

De eigenaar, een schrale man met brede elastieken rond de bovenarmen van zijn ruitjesoverhemd, keek niet verbaasd toen Arend Wijtman zijn koffer neerzette, een notitieboekje te voorschijn haalde, iets opschreef en de eigenaar vervolgens het boekje toeschoof. Hij had de man van tevoren een brief geschreven waarin hij een en ander had uitgelegd.

De eigenaar draaide zich om, nam sleutel drie van het bord en schoof hem die op een hotelformulier toe. 'Kamer drie,' zei hij.

Nu pas viel het Arend op hoe kaal de hoteleigenaar was. Alleen boven zijn oren groeiden nog twee slordige plukken bruin haar.

De zware overgordijnen van het café waren aan de straatkant al gesloten. Voor een zijraam stonden wat clivia's en een hoog opgeschoten citroenplant. Achter in het grote café stond een afgedekt biljart. De muren waren van donkerbruin glanzend hout. Overal staken ouderwetse gietijzeren kleerhaken uit de wand. Over elk pluchen tafelkleedje lag een glasplaat. Het was een groot en ruim café, groot en een beetje ouderwets, zodat de naam gelagkamer beter op zijn plaats was.

De eigenaar stak zijn hand uit. Arend Wijtman drukte hem.

'Jan Zijlstra,' zei de eigenaar. Zijn handdruk was koel maar niet onvriendelijk. Hij had de helblauwe ogen van de noorderling. Strakgetrokken wangen en een brede mond. En dan die toefjes haar boven zijn oren. Arend Wijtman liet de hand los. Hij keek om zich heen. Aan een tafeltje zaten drie eilandbewoners voor hun bierglazen. De enige bezoekers op dit moment. Twee waren ouder dan hij. Ze namen hem onverholen nieuwsgierig op. Toen hij zijn koffer oppakte en hen toeknikte, raakten ze plotseling weer met elkaar in gesprek.

Arend Wijtman schoof het gifgroene gordijn in de hotelkamer opzij. Het werd nu snel donker. Hij keek uit op de achterzijde van Normans Visafslag. Op het opslagterrein stonden wat slordig opgestapelde kratten. Daarachter lagen een paar houten noodgebouwen, kantoren waarschijnlijk, met spierwitte vensterbanken. Tegen een van de vensterbanken stond een fiets. Auto's waren er niet op het eiland. Die waren verboden.

Hij nam zijn kijker en tuurde over de noodgebouwen de zee op. Zo nu en dan zag hij even opflakkerende lichtjes; schepen op zee, en een stuk dichterbij de regelmatig rondstrijkende lichtkegel van de vuurtoren. Het was te donker om het witstenen vuurtorenhuis nog te kunnen onderscheiden.

Hij deed het licht aan en zag de hotelkamer weerspiegeld in het raam. Het brede bed met de gele afhangende sprei. Zijn zwarte koffer opengeslagen op bed, de kleerenkast, en hijzelf in een rieten vakantiefauteuil met gebloemde kussens naast een staande lamp met een brede kap, een soort hoededoos leek het wel. Voor hem op een ronde en iets te lage tafel lagen het invulformulier en de hotelsleutel met zijn zware rubberen bal.

Een ogenblik bleef hij roerloos naar de reflectie in het glas zitten kijken. Man met verrekijker in hotelkamer.

Hij deed de kijker af en zette hem voor zich op tafel. Hij vulde het formulier in.

Wijtman, Arend, geboren 12 december 1924 te Haarlem. Beroep: boekhandelaar. Dat was niet helemaal juist, maar kantoorbediende klonk hem te sjofel. Hij vulde de rest van het formulier in en zette zijn handtekening eronder. Met de pen in de hand staarde hij opnieuw naar dat weerspiegelde, stille hotelkamerinterieur, de koffer op het bed, die zich in opengeslagen toestand niet langer van hem afkeerde, zoals daarstraks op de kade.

Het eiland was maar klein. Tien kilometer lang en drieëneenhalve kilometer breed. Hij herinnerde zich het gele vlekje op de atlas. Bossen, duinen, vogelkolonies, wat visserij. Dat was alles. Het geel slordig en een beetje scheef over de omtrek van het eiland heen gedrukt, zoals in goedkope strips. Een stipje in de atlas, één regel in het aardrijkskundeboek. Dat was alles wat hij zich van vroeger over het eiland herinnerde. Niets over het zeventiende-eeuwse houten kerkje met zijn ranke witte torenspits, over het raadhuis, een getrouwe kopie in het klein van de raadhuizen in de welvarende havensteden uit de Gouden Eeuw. Op het bordes was alleen plaats voor een niet al te dikke burgemeester, geflankeerd door grijsstenen leeuwen die met hun afgebrokkelde manen op vermoeid uitrustende honden leken.

In werkelijkheid was het eiland nergens geel. Het strand zag zilverachtig grijs. De bij eb droogvallende zandplaten aan de zuidkant waren maar een graad minder wit dan de meeuwen die er voorzichtig overheen stapten, op zoek naar kokkels en andere schelpdieren, die ze gedecideerd knikkend openbikten. Over de duinen liep een verschoten dorbruin raster van aangelegde helm. Op de hellingen en in de duinpannen groeiden distels, duindoorns en hard uitgebloeid gras dat zoutig smaakte. Het midden van het eiland zou in de zomer weergegeven moeten worden met een groene vlek waardoorheen helwitte lijntjes kronkelden. De bomen waren kort en gedrongen, met breed uitwaaierende kruinen. Nu waren ze kaal. Alleen in de struiken hingen hier en daar nog groene plukken. De herfst kwam hier eerder dan op het vasteland. Het schelpgruis van de wandelpaden knarste onder zijn schoenen.

Alleen voor een kaartlezer kon een eiland eenvoudig zijn, klein en overzichtelijk. Het was verbazend hoe snel je op vijfendertig vierkante kilometer kon verdwalen, uren kon lopen zonder iemand van de kleine tweeduizend bewoners tegen te komen.

Ging hij ze uit de weg? Het was eerder andersom. Toen men in de paar winkels waar hij kwam, begreep dat hij niet kon spreken, deed men er zelf ook het zwijgen toe. Als het niet anders kon schreef men zijn korte antwoord voor hem op een stukje afgescheurd pakpapier. Niet in voorraad. Uitverkocht. Komt u nog eens terug. De taal van de kleine middenstand. Vaak waren die briefjes ondertekend, alsof de winkeliers aan het waarheidsgehalte van hun eigen beweringen twijfelden zo gauw ze ze opschreven.

De bewoners van het eiland waren trouwens van zichzelf al niet erg spraakzaam. In café De Zeevaart, even voorbij Normans Visafslag, zaten vissers en arbeiders van de afslag zwijgend te kaarten of televisie te kijken en ook in het hotel beperkte de conversatie zich tot de hoogstnodige opmerkingen, zoals over het maar aanhoudende goede weer of de verzakking van het eiland, die men toeschreef aan het wegzuigen van een gasbel onder de zeebodem. Daar komt narigheid van, stelde Jan Zijlstra vast en zijn paar barklanten beaamden dat. Dat kost ons onze duinen. Een man met glanzende schilfers op zijn handen vond dat ze maar een dijk rond het eiland moesten aanleggen. Een ander vond dat ze het nooit hadden moeten toelaten, dat geboor. De heren beslissen maar, zei weer een ander. Het gezelschap knikte. En weer viel er een lange stilte, zo nu en dan doorbroken door het getik van de ballen op het biljart dat hoofdzakelijk door jongere eilandbewoners werd gebruikt.

Ze knikten hem toe als hij binnenkwam, ze knikten hem na als hij wegging. Hij was de man die niet kon spreken. Een vreemdeling bovendien. 's Avonds lag hij lang op bed. Hij voelde zichzelf wegen. Je kon de zee horen. Als de jukebox of de televisie beneden tenminste niet aanstonden.

Heel lang lag hij met zijn armen onder zijn hoofd naar het plafond te staren. Soms begonnen zijn ellebogen plotseling te schudden en vertrok zijn gezicht in een tic. Soms liepen er zomaar opeens tranen over zijn wangen in de hals van zijn trui. Vaak veerde hij op zulke momenten overeind en schreef iets in het notitieboekje met de gemarmerde zwarte kaft.

Op een avond haalde hij een verlopen tramkaart uit zijn zak, scheurde hem in kleine snippertjes en verbrandde hem in de asbak. De verkoolde restjes spoelde hij door het toilet in de badkamer. Hij keek toe hoe het neerkolkende water de zwarte snippers wegspoelde en voelde zich trots over deze verdwijning, bijna machtig. Hij had de neiging te gaan fluiten. In plaats daarvan had hij zijn vuisten gebald en minutenlang in het afvoergat van de wc gestaard.

Achter de duinen, die het eiland tot nu toe tegen de zee beschermd hadden, liep een spoorlijntje. Aan de ontbrekende bielzen en het hoog opgeschoten gras tussen de smalle rails viel af te leiden dat er al lang geen trein meer op het eiland reed. Hij kon zich de functie van een trein op dit eiland ook nauwelijks voorstellen. Iedereen woonde in het dorp. Vaak volgde hij de rails tot aan een van de vogelreservaten. De reservaten waren verboden gebied voor 'onbevoegden', zoals op talrijke schilden stond te lezen, maar gewapend met zijn kijker zag hij er bevoegd genoeg uit om ze toch te betreden.

De zon scheen en de wind dreef in de loop van de ochtend de wolken in de richting van het vasteland. Zo ging het iedere dag. Hij liep over de smalle wandelpaden. Soms bukte hij zich om een heel gebleven nonnetje of een scheermes op te pakken. Hij raapte schelpen op, hield ze een tijdje in zijn hand en liet ze dan weer vallen.

De brutaliteit van hun aantal drong zich aan hem op, omdat ieder schelpje afzonderlijk zijn aandacht trok.

Hij probeerde ze op een afstand te houden door het bedenken van getallen. Toen dat niet hielp begon hij ze kapot te trappen.

Hij deed een stap opzij en keek naar de plek waar hij net had staan stampen. Er was nauwelijks een zichtbare verandering. Hij richtte zijn kijker op de plek. Hij zag een groot aantal gave schelpjes. Hij liep door.

De meeste vogels waren al aan hun trek begonnen. Alleen in de met wilgen en berken beschutte vijvers dreven wat eidereenden rond, de mannetjes met zwart onderlijf, de vrouwtjes onopvallend bruin van kleur. Soms schrok hij van een scholekster.

Met zijn kijker voor zijn ogen was hij niet speciaal op zoek naar bijzondere vogels. Daarvoor had hij er trouwens te weinig verstand van. Hij gebruikte de kijker om de dingen om zich heen dichter naar zich toe te halen. Kwam het daardoor dat hij meer moeite had dan vroeger om de dingen bij hun juiste naam te noemen?

Minutenlang stond hij roerloos met de kijker voor zijn ogen naar een merel te turen die tussen de dorre bladeren rondscharrelde.

'Jij,' dacht hij bij zichzelf, 'hé, jij daar!'

Toen de merel begon te fluiten werd hij plotseling kwaad en verjoeg het beest.

Hij was kwaad omdat de triller een algemene triller was, voor iedereen die het maar horen wilde en niet alleen voor hem bestemd.

Hij pakte een dennenappel en gooide hem met al zijn kracht tegen een boom. De dennenappel sprong van de stam terug en viel op de grond. Die daad stelde hem gerust. Het was zijn werk. Hij had een dennenappel verplaatst.

Even had hij het gevoel te passen in het landschap waar hij doorheen liep.

Aan de rand van een vijver gooide hij steentjes in het water. Soms bewaarde hij een steentje omdat hij het bijzonder vond, als een bepaalde vorm of kleur hem opviel.

Als je twee kiezels maar lang genoeg tegen elkaar ketste, gingen ze naar zwavel ruiken. Een scherpe, prettige geur, als onder je eigen oksels.

Hij ving een voorbijlopende spin en klemde hem tussen de twee stenen. Hij drukte de stenen krachtig tegen elkaar terwijl hij verschrikt om zich heen keek. Boven hem suisde de wind door de dennentakken. Hij haalde de stenen van elkaar. De spin was niet langer een spin. Hij peuterde de pootjes los en liet ze in het gras vallen. Het was stil om hem heen. Er gebeurde niets.

Nooit kwam hij iemand tegen. Alleen één keer, aan de oostkant van het eiland, toen hij op een duintop stond en zich met de kijker aan zijn ogen omdraaide, leek het even of hij beneden in het reservaat een man zag lopen. Hij hield zijn kijker minutenlang op de dichte struiken gericht, maar er bewoog niets. Het moest verbeelding zijn geweest.

Hij was nu vier dagen op het eiland en begon de tijden van eb en vloed te kennen. Hij hield ervan zijn schoenen en kousen op het strand achter te laten en met opgetrokken broekspijpen de drooggevallen zandplaten op te lopen, de meeuwen voor zich waardig en zonder paniek te zien opvliegen naar een plek wat verder van hem vandaan.

De kokosbruine strandlopertjes waren schuwer. Met zijn kijker haalde hij ze dichterbij. Zelfs door de kijker gezien leek het nog alsof ze over het zand werden voortgeschoten, zo razendsnel bewogen hun spichtige pootjes.

Hij keek toe hoe de fijne vogelsporen zich langzaam met kwelwater vulden en verdwenen. Hij voelde het zand tussen zijn gespreide tenen dringen.

De boortorens aan de zuidkust van het eiland stonden zelfs voor zijn kijker nog ver weg. Wel kon hij de constructie duidelijk zien. Een op stalen poten hoog uit zee oprijzend plateau waarop een enkele keer iets geels bewoog, waarschijnlijk het oliepak van een arbeider.

Hij hield zijn horloge in de gaten, want hij wist hoe snel de vloed opkwam, kolkend en draaiend in de geulen tussen de zandplaten, die een voor een vanaf de randen snel onder water liepen. Vaak bleef hij heel lang op een duin staan kijken hoe ze onderstroomden en de vloedlijn – een zwarte grillige streep van schelpen en algen – door de zee werd uitgewist.

Meestal keerde hij tegen een uur of vijf naar het hotel terug.

Het was de avond van zijn vierde dag op het eiland. Er waren zoals gewoonlijk wat wolken komen opzetten toen de zon achter de horizon verdwenen was en zoals gewoonlijk rilde hij even in zijn grijze visgraatjas. Nog steeds spraken de mensen van buitengewoon mooi weer voor de tijd van het jaar.

Voor de ingang van café De Zeevaart stonden wat mannen. Dat was wel meer het geval, maar nu stonden ze er niet zomaar. Ze vormden duidelijk een groep, mensen met een gezamenlijk doel. Ze luisterden naar hun leider, een dikke man met een zeiljopper en een groen jagershoedje die hij, dichterbij gekomen, herkende als de bebrilde drogist die tevens het postkantoor onder zijn hoede had. Een paar van de mannen hielden brandende stormlantarens in hun hand. Een vaalbruine herdershond scharrelde nerveus tussen de broekspijpen van de mannen rond.

Toen hij ze passeerde hielden ze even op met overleggen. Hij knikte ze toe en enkele van de mannen knikten aarzelend terug, met een nauwelijks zichtbare hoofdbeweging. Hij voelde dat hij nagekeken werd.

Na Normans Visafslag hield de bebouwing zo'n beetje op. Erachter begon een bescheiden boulevard met steenrode tegeltjes en om de tien meter een bank. Het was jammer dat je op de banken zittend precies tegen een pas gemenied hekwerk aankeek dat langs de hele boulevard doorliep. Voor de veiligheid ongetwijfeld. Vooral kinderen zouden een lelijke smak kunnen maken als ze van de wal tussen de op elkaar gestapelde basaltblokken zouden vallen.

Hij luisterde naar het gerommel van kleinere steenbrokken tussen het basalt en keek naar een schuin uit het water opstekende meerpaal.

Plotseling hoorde hij het geraas van een motor, heel in de verte nog. Hij probeerde met zijn kijker in het donker de zee af te turen, maar het geluid kwam voor een boot veel te snel naderbij. Plotseling steeg het op en zat het boven hem.

Een helikopter kwam laag en een beetje scheef in de lucht hangend op het eiland aanratelen. Hij draaide zich om en keek naar het rode knipperende staartlicht. Zeker een verdwaalde militair. Op een van de andere eilanden was een militaire basis. Soms hoorde je het doffe gebons van geschut of kwam er een straaljager over met het geluid van een laken dat in de lucht doormidden werd gescheurd. Hij zag het knipperende staartlicht naar het westen zwenken, in de richting van het witte kerkje, en toen langzaam naar beneden zakken. Geen brandstof meer; motorpech misschien.

Hij liep door, opeens niemand. Hij probeerde er zich zoveel mogelijk tegen te verzetten, maar het zat in hem, het maakte deel van zijn ziekte uit: een plotselinge vertwijfeling waar niet aan te ontkomen viel. Hij begon te rennen. De kijker sloeg pijnlijk tegen zijn borstkas.

Aan het eind van de boulevard bleef hij hijgend in het donker staan. Hij voelde de zeewind tegen zijn voorhoofd en zijn handpalmen strijken. Hij stak zijn handen in zijn zak en keek voor zich uit naar de met planken dichtgetimmerde zijramen van een allang gesloten rokerij. De schoorsteen stak zwart en plomp uit wat eens een pannendak was geweest maar nu niet meer dan een op verschillende plaatsen over dwarsbalken naar binnen hangend latwerk. Men had zelfs niet eens de moeite genomen het bijna vierkante gebouwtje af te breken. Men liet het maar zo. Op den duur zou het uit zichzelf wel verdwijnen.

Hij keek naar het handjevol sterren boven zich en toen naar de ronddraaiende lichtkegel van de vuurtoren. Het gevoel was weer weg. Het viel niet te omschrijven.

Het kenmerk van deze ontzetting was nu juist dat er geen woorden voor waren, dat hij er volkomen bloot en weerloos aan was uitgeleverd, zoals een huid aan vuur of hevige kou.

Hij draaide zich om, met zijn rug naar de vervallen rokerij. De lantarens langs de boulevard vormden een flauwe ellips. Twee overvliegende meeuwen keften in het donker boven zijn hoofd. Hij begon terug te lopen naar het hotel.

Het was in de gelagkamer drukker dan hij verwacht had. Groepjes mannen zaten druk pratend aan de tafels bijeen. Hij veegde zijn zwarte schoenen op de kokosmat. Niemand keek op. Jan Zijlstra stond met een borrel in zijn hand bij een van de groepjes. Hij luisterde naar wat er gezegd werd.

Aan het tafeltje onder de biljartklok zat een vrouw met haar rug naar hem toe in een tijdschrift te lezen.

Hij pakte zijn sleutel van het bord en liep naar de hotelingang. Achter de matglazen deur bleef hij staan en streek met een hand over zijn voorhoofd.

Waarom had het hem opeens zo veel moeite gekost de gelagkamer over te steken? Doorwaden zou een juister woord geweest zijn om te beschrijven wat hij gevoeld had: een lauw gekronkel van pratende monden, kringelende sigarenrook en dan de roerloze vrouw. Ze had kort in de nek afgeknipt, gitzwart haar.

Achter hem tikte de hoteldeur in het slotje. Hij liep langzaam verder de gang in. Het rook er vaag naar eau de cologne en stof.

'Eten op de kamer?'

Arend Wijtman knikte zonder naar de hoteleigenaar om

te kijken en ging de trap op.

Hij trok zijn jas uit en ging op de rand van het bed zitten. Hij herinnerde zich dat hij als kind hele middagen roerloos in de tuin had zitten spelen met zijn rug naar het huis toe en zich inbeeldde en ten slotte ook geloofde dat het huis achter zijn rug er niet meer was. Die zelfsuggestie was zelfs zo sterk dat hij nog dagenlang twijfelde aan de echtheid van het huis, de tafel, de stoelen, het glanzende bestek. Toen hij een jaar of acht was, was hij met dergelijke spelletjes opgehouden. Toen waren ook die aanvallen van ongeloof verdwenen.

Hij staarde naar de weerkaatsing van de hotelkamer in het raam.

Jan Zijlstra bleef even verrast met het dienblad in de deuropening staan. Met een hand knipte hij het licht in kamer drie aan.

'Zo, dan zien we ook nog wat.'

Zijn gast zat met de rug naar hem toe op het bed. Hij zette het dienblad op het ronde tafeltje. Arend Wijtman draaide zich langzaam om. Hij hield zijn handen gevouwen.

'O, neemt u mij niet kwalijk,' zei Zijlstra.

Arend Wijtman schudde zijn hoofd, glimlachte.

'Weet u het al?' vroeg Zijlstra.

Arend Wijtman hield zijn hoofd een beetje scheef, alsof hij aan één oor doof was. Dat was Zijlstra al meer opgevallen. Daarom sprak hij luid en nadrukkelijk verder.

'Het dochtertje van de timmerman is verdwenen. Elf jaar. Ze is al een dag zoek. Ze zijn het eiland aan het uitkammen. Er is ook al iemand van de politie aangekomen.'

Arend Wijtman knikte. Zijlstra had voor zijn doen enorm veel woorden gebruikt. Zijn schrale gezicht was rood aangelopen. De pluimpjes boven zijn oren staken uit. Hij moest er met zijn hand doorheen hebben gewoeld. Het viel hem op dat Zijlstra luid en nadrukkelijk tegen hem sprak, alsof hij doof was. Hij stond met zijn armen over elkaar geslagen. De elastieken spanden zich om de bovenmouwen van zijn lichtblauwe overhemd.

'Als ze maar niet verdronken is. Het zal de eerste niet zijn die van een schuit in zee is gegleden. In dat geval kan het nog dagen duren voor we haar vinden. Of nooit.'

Arend Wijtman zweeg. Jan Zijlstra draaide zich aarzelend om.

'Smakelijk eten dan maar.'

Arend Wijtman stond op. Bij de deur bleef Zijlstra staan.

'O ja, dat was ik bijna vergeten. We hebben er een gast bij, een jongedame. Ik heb haar maar helemaal achter in de gang geplaatst.'

Arend Wijtman maakte een gebaar dat zowel dank u wel als gaat u weg kon betekenen. Hij ging voor het raam staan. Jan Zijlstra sloot de deur.

Een kind vermist, verdronken misschien. Een nieuwe gast. Hij had haar gezien, haar rug en haar korte recht in de nek afgeknipte zwarte haar tenminste. Hij hoorde gepraat op straat, mannenstemmen. Hij ging zitten.

Langzaam begon hij de sperzieboontjes aan zijn vork te prikken. Naast zijn bord lag zijn notitieboekje opengeslagen op een nieuwe onbeschreven bladzij.

De onrust in de gelagkamer onder hem bleef de hele avond aanhouden, als een hardnekkig donker gebrom. Hij stelde zich de mannen voor, met hun stormlantarens en de hond ronddolend in de reservaten. Het geritsel van opschrikkende merels. Het roepen van aanwijzingen in het donker. Het gevloek van iemand die zich stootte tegen een overhangende tak, of struikelde over een boomwortel.

Hij was blij dat hij zich dit allemaal nog voor kon stellen. Waarom had Jan Zijlstra meteen aangenomen dat het meisje dood was?

Ten slotte stond hij op en ging naar beneden. De groepjes mannen waren nu anders van samenstelling. Hij herkende de drogist met zijn bolle wangen en bril. Zijn hoed lag voor hem op tafel. Hij wreef in zijn handen en vertelde. Hij was midden in het verhaal over de opsporingsactie. Zijn opsporingsactie. Hij was tenslotte niet alleen drogist maar ook beheerder van het postkantoor.

Jan Zijlstra stond achter de bar met een blad lege pilsglazen. Arend Wijtman keek naar de eigenaar en trok zijn wenkbrauwen vragend omhoog. Zijlstra schudde zijn hoofd, wenkte hem.

'Ze zijn ermee gestopt,' zei hij. 'Te donker. In de reservaten zit ze in ieder geval niet. Niet levend tenminste. Ze hebben allemaal schorre kelen van het schreeuwen. Morgenochtend zoeken ze verder.'

Arend Wijtman wees op een van de lege pilsglazen en ging toen aan een onbezet tafeltje zitten. Hij wreef met een vinger over de glasplaat en luisterde naar de drogist. De drogist vertelde hoe ze in het donker naar het meisje hadden gezocht.

Het viel Arend Wijtman op hoe onnauwkeurig het verslag was. 'Wij wachtten een tijdje,' zei de drogist. En: 'in de verte zagen we iets lopen.' Of: 'een hoop dingen zijn duidelijk.'

De mannen rond de drogist scheen dit niet op te vallen. Zij knikten, alsof deze beschrijving het zoeken weergaf. Zo iets zou ook hem vroeger niet zijn opgevallen.

Voor het eerst lette niemand op hem. Hij vond het prettig in de gelagkamer. De jukebox zweeg, het biljart was met een zeegroen zeil afgedekt. De drogist was klaar met zijn verhaal. De stemmen van de anderen klonken gedempt en waren niet te verstaan. Het was duidelijk dat ze weinig hoop koesterden. Zo nu en dan ving hij een woord op. Stroming. Vasteland. Politie.

Het eiland was klein, dertigeneenhalve vierkante kilometer maar, een geel vlekje op de kaart, meer niet. Toch had een ploeg van zo'n twintig man met lantarens en een hond urenlang tevergeefs gezocht.

Het laatst had een vriendinnetje haar in de Tulpenlaan gezien. Gistermiddag omstreeks vijf uur. Hij had geen idee waar de Tulpenlaan was. In ieder geval niet in de buurt van het raadhuis en de kerk. De straatjes daaromheen kende hij en niet een ervan heette Tulpenlaan.

Plotseling was ze verdwenen. Spoorloos, zei een jongen en hief zijn handen als een toneelspeler in een grotesk gebaar van onmacht boven zijn hoofd. Er hing wat bierschuim in zijn snor.

Arend Wijtman keek naar het tafeltje onder de biljartklok. Alleen het tijdschrift lag er nog. Hij keek naar het sleutelbord. De nieuwe gast had kamer tien.

Leo Wigman had de pest in. Zwaar. Zeker omdat hij de oudste rechercheur van het rayon was. En dan die haast om een doodgewone vermissing. Als het nou nog een kind van rijke ouders geweest was. Met sirenes en zwaailicht naar het vliegveld. Toe maar. Ze hadden hem op z'n minst kunnen vertellen dat zo'n helikopter aan alle kanten tocht als een vogelkooi. Een halfuur met zo'n onhandig zwemvest om je lijf naast zo'n ijdele snor van de luchtmacht zitten. Het enige wat ze hem meegegeven hadden, was een met cellotape geplakte kaart en het adres van de enige agent van het eiland. Meer waren daar ook niet nodig, je hoorde nooit iets van het eiland. Niet op zijn afdeling tenminste. Het zou hem niet verbazen als Van Beem achter al dit gedoe zat. In de ziekelijke fantasie van zijn chef spookte altijd wel een of ander complot rond; een verband dat totaal niet bestond. Allemaal indianenverhalen. Dat meisje kwam wel weer boven water. Vinden zouden ze haar op een gegeven moment. Op het eiland of daarbuiten. Iemand kon niet zomaar opeens verdwijnen. Hij had zwaar de pest in. Hij had nauwelijks de tijd gehad langs huis te gaan, om wat spulletjes in een aktetas te doen. Ook zijn vrouw had zich afgevraagd waarom ze juist hem voor die klus hadden uitgezocht. De anderen zien er zeker weinig in, Lies, had hij gezegd. Weinig? Ze begreep hem niet. Weinig promotiekansen, zei hij.

Jezus, en dan die gewichtigdoenerij toen hij op het eiland geland was. Je kon merken dat er in honderd jaar niks meer was gebeurd. Dat wijf van die agent, die Lozen. Hysterische verhalen over kinderen thuishouden, toenemende misdaad, ontsnapte psychopaten.

Lag hij nou op een mufruikende logeerkamer in het huis van de dorpsagent. Wel een helikopter, maar een fatsoenlijke hotelkamer kon er niet af.

Hij staarde naar de pioenrozen op het behang. Eén ding was zeker. Hij moest dit zaakje zo snel mogelijk klaren en dan wegwezen. Een paar dagen met dat mens beneden en hij was zelf rijp voor een moord. 'Wat zijn dat nou voor soort mensen, die kinderverkrachters?' Kwam je daarvoor helemaal met een helikopter aanzeilen. Om onder een schemerlamp met balletjes zulke vragen over je heen te laten gaan.

Ze praatten godverdomme of ze dat kind per se dood wilden hebben. Die drogist. Vast vroeger bij de burgerbescherming gezeten, blokhoofd of zoiets, met zijn belachelijke jagershoedje. Meneer kwam zich op het stadhuis melden. 'De opsporingsactie heeft tot nu toe geen resultaat opgeleverd.' De burgemeester kende hij van foto's uit de krant. Heisa over aardgaswinning of zoiets. Een halve gare zo te zien, vent met een moderne bril en een pijp. Hij had de raadskamer als 'centrale post' aangeboden. Die lui waren allemaal aangestoken door de televisie. Ik loop morgen wel wat rond, had hij geantwoord. Bijna beledigd waren ze, de drogist en de burgemeester. Hij had de gammele kaart op tafel uitgespreid en ze hadden hem uitgelegd hoe het eiland in elkaar zat. De drogist haalde de windrichtingen door elkaar, wist het verschil tussen oost en west ineens niet meer. Zou me een mooie opsporingsactie geweest zijn. Ze waren halverwege ook nog een hond kwijtgeraakt. Om je rot te lachen. Het enige wat ze gevonden hadden was een hoop oude herenschoenen. Ze hadden ze allemaal meegenomen. Of hij ze wilde zien. Echt om je rot te lachen.

Het geval was eenvoudig genoeg. Het meisje was eergisteren na vijven nog gesignaleerd. Ze zou dus alleen vanmorgen met de boot van het eiland vertrokken kunnen zijn.

Nee, dat hadden ze al 'nagetrokken'. Dat woord alleen al.

Een lijst van mensen die de afgelopen maand naar het eiland waren gekomen en die er nog waren.

Passagierslijsten waren er natuurlijk niet. Hotellijsten dan maar. Hij keek ze even door. Een handjevol, de meesten al weer vertrokken.

Toch waren de drogist en de burgemeester nog heilig in vergelijking met die agent, die Lozen. De man zweette als een os en zei steeds maar: we moeten iets doen. Aan hem had je niks, dat zag hij zo. Goed om tennisballen in beslag te nemen of achter stropers aan te zitten. Zo uit een Franse film weggelopen. Lekker huwelijk leek dat daar trouwens beneden. 'Mijn man vertelt nooit iets over zijn werk.' Nee, nogal logisch. Er viel ook nooit iets te vertellen.

Ze had natuurlijk gehoopt op de komst van een jonge knappe rechercheur. Zo'n onweerstaanbaar slordige jongen in een smerige regenjas. Ja, dan viel hij tegen, dat moest hij eerlijk toegeven. Zwarte tanden had hij, en een rooie nek van de tijd dat hij nog op de boerderij van zijn vader werkte. En wateroogjes, die Lies in hun verlovingstijd nog eens zijn blauwe kijkers had genoemd. En niet te vergeten een splinternieuwe jas, veel te modieus voor een rechercheur die tegen zijn pensioen aan liep.

Hij draaide zich op zijn zij. Het geluid van die zee was ook om gek van te worden. Hoe je op zo'n zandbank kon leven.

Arend Wijtman werd met een zorgeloos gevoel wakker. Hij keek naast zich op het nachttafeltje met de zwarte telefoon en het notitieboekje. Je kon exact zien tot waar het boekje beschreven was. Tot daar bobbelden de bladzijden door de druk van zijn balpen op. Een derde zowat.

Hij kwam overeind. Waarom voelde hij zich zo? Het restant van een droom? Hij herinnerde zich niets; alleen maar dit lichte gevoel in zijn hoofd.

Hij herinnerde zich wel een andere droom, twee nachten geleden. Nat van het zweet was hij eruit ontwaakt. Zijn hart bonsde. Hij had het gevoel dat hij in zijn slaap gepraat had. Dat zijn stemgeluid nog ergens in een van de hoeken van de kamer hing. Zijn mond stond kurkdroog open.

Hij bevond zich in een soort opnamestudio – van de radio? Voor hem stond een microfoon. Achter een glazen wand gebaarden mannen dat hij kon beginnen met praten. Hij schudde zijn hoofd, wuifde met zijn handen, legde zijn vinger op zijn lippen, maar de mannen, gekleed in witte overhemden met opgerolde mouwen – het moest zomer zijn aan de andere kant van het glas – hadden hun koptelefoons al opgezet en keken niet meer in zijn richting.

Hij keek naar het metalen roosterkapje op de microfoon en sloeg zijn handen voor zijn gezicht. Toen hij opkeek hadden de drie mannen hun koptelefoons afgezet. Ze rookten sigaretten en staken hun duim goedkeurend in de lucht.

Uit een luidspreker ergens achter hem hoorde hij een van hen tegen hem praten. 'We zullen het u even terug laten horen.'

Weer begon hij zijn hoofd te schudden en met zijn handen te wuiven. Achter zich hoorde hij het sissende geluid van een band die begon te lopen. Van dat geluid was hij wakker geworden.

Hij stapte uit bed en trok de gordijnen open. De veerboot, die hij in gedachten hardnekkig salonboot bleef noemen, stoomde net wit en licht schommelend tussen de havenhoofden de zee op. Tien over acht, hoogstens kwart over. De boot vertrok altijd stipt op tijd.

Om negen uur kwam Jan Zijlstra zijn ontbijt brengen. Hij zag er een beetje belachelijk uit, vond Arend. De toefjes haar zaten nat en plat tegen zijn slapen aangedrukt. Een beetje voorovergebogen liep hij, alsof er in de hotelkamer een stevige bries stond. Hij schoof het blad voorzichtig op de ronde tafel. In een blauwgeruit dopje stond een groot en spierwit ei.

Jan Zijlstra wees naar buiten. Arend Wijtman keek. Een man met een handkar vol tabaksbruine visnetten verdween net om de hoek van de afslag.

'Ze zijn aan het dreggen,' zei hij.

Arend Wijtman zat op de rand van zijn bed. Hij droeg een lichtblauwe coltrui. De verdwijning van het meisje hield de hoteleigenaar bezig. Hij rekte een van de brede elastieken om zijn bovenmouwen uit en liet het toen met een klap op zijn arm terugketsen.

'Er staat een sterke stroom,' zei hij. 'Afwachten maar.'

Toen de hoteleigenaar de deur achter zich dichtgetrokken had, stond Arend Wijtman op. Hij voelde zich nog steeds zo. Alsof hem eindelijk weer iets was overkomen. Alleen kon hij zich niet meer herinneren wat. Hij sloeg het kapje van het ei en begon het met smaak uit te lepelen.

Met zijn handen in zijn zak liep hij langzaam naar de kade. Er stonden wat mensen met de rug naar hem toe; meest oudere mannen en vrouwen met boodschappentassen. Hij zag de vrouw van kamer tien meteen. Ze had een zwart vest aan met grote groene gebreide knopen. Daaronder droeg ze een witte coltrui. Haar rok was van een stugge bladgroene stof met zwarte spikkeltjes erdoorheen geweven. Groene panty en zwarte schoenen met blokhakken. Over haar zwarte haar had ze een mutsje getrokken van dezelfde stof als haar rok. Ze stond een paar meter van de eilandbewoners vandaan naar het dreggen te kijken.

Twee mannen, in oliepakken die hun bewegingen onbeholpen en stroef maakten, trokken op een motorvlet staande langzaam een sleepnet in rechte banen door het water. Ook vanaf de witte aanlegsteiger waren mannen aan het dreggen. Een agent en een man met een camel demi, een donkerbruine vormloze hoed op het hoofd gedrukt, liepen dicht achter twee jongens in overalls die de dreg vlak langs de steiger naar de kadekant sleepten.

Ze liepen langzaam en bedachtzaam, met gebogen hoofd. Als je niet beter wist leek het op een processie, de een of andere plechtigheid.

Arend Wijtman ging achter het groepje eilandbewoners staan. Niemand zei iets. De lange rij meeuwen op het platte dak van de visafslag leek ook al roerloos toe te kijken. Er stond nauwelijks wind. In de verte hing een heiige nevel.

Toen de mannen op de vlet het sleepnet met behulp van een handtakel langzaam naar binnen begonnen te halen, hoorde hij gemompel in de rij mensen voor zich. De vrouw uit het hotel deed een stap voorwaarts. Hij richtte zijn kijker op de mannen.

Uit hun houding viel het een en ander op te maken. Niet alles, maar wel iets. Ze hadden nog steeds niets gevonden. Een van de mannen stond zelfs met zijn rug naar het zwarte traag omhoogkruipende net toe. De ander takelde. Zo nu en dan hield hij even op, bukte zich en prikte met een stok in de modderige rommel die in het net mee naar boven kwam; blikken, flessen, een achterwiel van een brommer. Hij gooide wat hij vond weer in zee. Het net zeeg op de achterplecht in een slordige zwartglanzende hoop ineen. De agent en de stuurs kijkende man in de korte cameljas volgden de jongens in de overall langs de kadekant. Een van de jongens rookte nu een sigaret. De motor van de vlet sloeg hoog en knetterend aan. Twee vrouwen met boodschappentassen draaiden zich als op bevel om en liepen gearmd en licht schommelend weg.

Hij liet de kijker zakken.

Niemand zei iets. Nog steeds niet. De zon scheen en er vielen scherpe schaduwen over de betonstrook voor het nu spierwitte gebouw van de visafslag. Zo nu en dan ging een meeuw in de rij op de dakrand even schuifelend verzitten.

Ook Arend Wijtman liep langzaam verder.

Het was eb. Een groene roeiboot rustte scheefgezakt in het drooggevallen slik voor de jachthaven. Strandlopertjes schoten heen en weer over de donkergrijze modder. Zelfs een kinderlijk had nu boven water moeten komen.

Hij liep over de Randweg langs het okeren wachthok dat eens het begin van het spoorlijntje had gemarkeerd.

Hij kwam langs de botenloodsen en kleine werven die hoofdzakelijk bestonden van het opknappen en repareren van plezierjachten en zeilboten van vakantiegangers. Het rook er naar teer. Teer en stookolie. Hij bukte zich en raapte een steen op. Hij keek naar het lichtgroene adertje dat erover liep. Hij wreef er een paar keer met zijn wijsvinger overheen. Toen gooide hij de steen tegen de golfijzeren wand van een botenloods.

Plotseling werd het geluid van zijn voetstappen in het zand gesmoord. Het zandpad liep omhoog de duinen in. Lopen op een zandpad is vermoeiend. Hij haalde zijn handen uit zijn zakken. Boven op het duin zag hij in de verte de vuurtoren liggen. Hij richtte zijn kijker op het eilandje. Aan de waslijn naast het witstenen vuurtorenhuis wapperde een marineblauwe jurk. Hij ging zitten en keek naar de roerloze waterrimpels ver op zee. Ze leken roerloos. Alsof het voren waren, versgeploegde stilliggende voren in water. Alleen hier vlak beneden hem tuimelde de ene golf over de andere, schuimde even kort uit over het strand en werd dan weer teruggezogen. Hij leunde op zijn ellebogen naar achteren in het zand.

Vader zou precies hebben kunnen uitleggen hoe de hoogte van de zandbanken in verhouding tot de kracht en de stromingen van de zee zulke en geen andere golven tot gevolg hebben. Hij was aardrijkskundeleraar geweest en geloofde in zulke verklaringen. Dat kan toch niet anders. Hij hoorde het zijn vader weer zeggen. Zo sloot hij bijna ieder gesprek af, met die woorden. Hij hoorde het hem zeggen, maar zijn gezicht kon hij zich niet voor de geest halen. Zijn vader was al meer dan tien jaar dood.

Hij ging rechtop zitten, sloeg zijn handen om zijn opgetrokken knieën en probeerde zich het gezicht van zijn vader te herinneren. Het wilde hem niet te binnen schieten. Ook dat van zijn moeder niet. Vorig jaar had hij hun graf bezocht. Op het kerkhof had hij het gevoel gehad dat hij nu voor de rest van zijn leven niets meer zou meemaken.

Hij stond op en liep het strand op. Het was smal. Vloed. Zijn vader was aardrijkskundeleraar geweest, maar zelfs als zoon van een aardrijkskundeleraar had hij nooit iets van passaatwinden begrepen. Hij keek naar zijn zwarte schoenen die het vocht vlak voor de punten even uit het zand wegdrukten. Hij keek om. Hij liet nauwelijks sporen achter. Hij bukte zich en pakte een lichtgebogen en langwerpige schelp uit het zand. Een scheermes. Hij gooide de schelp in de richting van de golven.

Sinds hij op het eiland was had hij de neiging dingen op te pakken en weg te gooien.

De schelp was licht, kantelde een paar keer om zijn as en viel terug in het zand.

Enkele meters voor hem voerde een pad de duinen in. Hij sloeg het in. Plotseling schoot de droomflard van vanochtend zijn herinnering binnen. Hij bleef midden op het pad staan.

Hij zat wijdbeens in een bad. Tussen zijn benen zat een meisje met de rug naar hem toe. Het speelde met een witte badeend en een ongeverfd houten bootje. Het kind scheen zich niet van zijn aanwezigheid bewust te zijn. Hij noch het meisje vond het vreemd dat ze hun kleren nog aan hadden.

Ze zaten achter elkaar in het bad en hij hoorde zichzelf zeggen: het water is niet nat. Je hoeft niet bang te zijn, het water is niet zo nat.

Zijn dromen waren meestal duidelijk en gemakkelijk uit te leggen. Zoals deze.

Hij zette zijn voeten uit elkaar en sjokte naar boven.

Hij keek neer op een bungalow van rode baksteen. In de woonkamer zat een man met een geblokt overhemd op een leren bank naast een vrouw in een zeegroene badjas.

Hij zette de kijker voor zijn ogen en stelde de lenzen scherp.

De vrouw had lang helblond haar. De man hield een arm om haar heen geslagen, de andere lag verborgen in de badjas. Het gezicht van de man was rood en geaderd. Zijn wangen trilden. Voorzichtig haalde hij een kleine kogelronde borst te voorschijn, keek er even aandachtig naar, boog zich toen voorover en begon er uit alle macht aan te zuigen. De vrouw bewoog niet, ook niet toen de man de ceintuur van haar badmantel lostrok, haar benen spreidde en er geknield tussen hurkte. De huid van de vrouw had over haar hele lichaam dezelfde matroze kleur. Haar handen rustten aan weerszijden van haar lichaam op de leren bank met de palmen ontspannen naar boven gekeerd.

Voor de man in de kamer was hij, hoog op het duin, onzichtbaar. Voor de vrouw, op een andere manier, ook.

Hij vroeg zich af waarom iemand zich bevredigde met een pop.

De man stond nu op en verdween door een openstaande deur. Even later kwam hij terug met een glas in zijn hand. Hij dronk met voorzichtige teugjes terwijl hij naar de pop met de wijdgespreide benen keek. Het schaamhaar was pikzwart en in een keurig driehoekje tussen de benen geplakt. De man zette het glas op een wit tafeltje, liep naar de bank en tilde de pop op. Voorzichtig droeg de man de pop de kamer uit. De stijve armen en benen schommelden.

Hij bleef nog een tijdje naar de lege kamer kijken maar de man kwam niet meer terug.

Hij stond op. Bijna dertig jaar geleden had hij twee jaar als sorteerder bij de posterijen gewerkt. Hij nam wel eens brieven mee naar huis en las ze 's avonds op zijn kamer. Het wond hem op, hoe onbenullig de inhoud meestal ook was.

Hij klopte het zand van zijn jas en liep langzaam het duin af. Hij keek niet meer naar de bungalow. Toch was dit iets anders dan een brief ontvreemden omdat je zelf nooit post kreeg. Hij wist niet goed wat hij ervan denken moest.

Tussen de bungalow en het dorp lag een weiland. Wat zwartgevlekte koeien stonden voorovergebogen log te grazen. Erlangs liep een weg van bleekrode steenslag. Midden op de weg stond de man in de korte cameljas. Hij hield zijn bruine hoed in zijn hand en keek peinzend naar de koeien. Hij had dun grijs haar dat soms even door een windje werd opgetild. Net toen Arend Wijtman zijn kijker op hem wilde richten, draaide de man zich om en liep met snelle passen in de richting van het dorp.

Hij liet de kijker weer zakken. Hij liep om het weiland heen, stak een stukje de duinen door tot hij weer op de Randweg kwam. Tussen twee loodsen stond een vissersboot op twee enorme stutspanten. Een oude man in een gevlekte kaki overall was bezig de stuurhut met kleine regelmatige streken groen te verven. Staalblauw onderschip met een mosgroene stuurhut op het achterdek. Daaraan waren de vissersschepen van het eiland te herkennen. En aan de serieletters MA. Dit was de MA 17.

Bij de afslag bleef hij staan. Vanaf een van de betonnen laadplateaus werden zilverglanzende containers op een vorkheftruc geschoven. De witte overalls van de mannen waren met bloed en visschubben besmeurd. Hij zag de vrouw van kamer tien het hotel binnengaan. Hij wachtte tot ze naar binnen was gegaan.

Toen hij de deur van de gelagkamer opendeed zag hij de vrouw met een brief in haar hand de hoteldeur doorgaan.

Helemaal achter in café De Zeevaart was hij gekropen. Hij had zijn nieuwe cameljas, een cadeautje van zijn kinderen, naast zich over een stoel gevouwen, zijn oude bruine hoed er bovenop. Eigenlijk vond hij de jas te nieuwerwets voor zichzelf. Te kort ook. Maar hij had ze natuurlijk niet voor het hoofd willen stoten.

Voorin, bij de toog, zaten wat mannen voorovergebogen naar de televisie te kijken. Zo nu en dan zag hij het beeldscherm in het karig verlichte café even opflikkeren.

Het dreggen had hij ten slotte laten staken. Voor agent Lozen was dat een hele teleurstelling geweest. De man had zich er meteen in vastgebeten. Omdat ze gingen dreggen, moest het meisje dus verdronken zijn. Omdat er vroeger bij het spelen op de vissersboten wel eens een kind te water was geraakt, moest ook zij maar van een boot gedonderd zijn. Die logica. Nee.

Hij had nauwkeurig naar een oudere visser geluisterd. De man had een tijd hoofdschuddend toe staan kijken. Het had hem geërgerd en daarom had hij de man naar de reden van zijn afkeuring gevraagd.

'Als ze hier te water is gegaan, drijft ze nu op zeventig mijl van het vasteland.'

De man had met zijn hand vaag de richting aangegeven.

'Stromingen?'

Ja, de stromingen. Die kende hij van buiten. Al vanaf hij een jongen was.

De visser was nu een eind in de vijftig zo te zien. Zijn linkeroog was kleiner dan zijn rechter. Een stevige brede neus en magere maar besliste handen. Leo Wigman had vertrouwen in de manier waarop de man sprak. Geen woord te veel. Daarom had hij het dreggen laten staken. Hij had de visser de eventuele positie van het meisje laten opschrijven. Hij was naar het stadhuis gelopen en had de getuigenverklaringen nog eens doorgelezen. Het meisje was op 26 oktober om kwart over vijf 's middags voor het laatst in de Tulpenlaan gesignaleerd. De Tulpenlaan markeerde de zuidwestelijke grens van het dorp. Daarachter lag een strook weiland, dan kwamen de duinen met daarachter het strand en de zee. Liep je de Tulpenlaan in zuidelijke richting uit, dan kwam je in het reservaat. Er waren er twee, Duinzicht en Vogelweide. Een originele geest, die die namen bedacht had.

Kon een kind in een gebied van pakweg zestien vierkante kilometer verdwalen? Het leek uitgesloten. Twee dagen lang hadden twintig mannen en een hond de beide reservaten doorkruist, de vijvertjes en plassen uitgedregd. Behalve wat observatiehutten stonden nergens huizen in het natuurgebied. Ten oosten en ten westen van het dorp lag een enkele bungalow tegen de duinen aan.

Burgemeester De Bree wist te melden dat er slechts één van bewoond was op het ogenblik; die ten westen van het dorp. Dat was de bungalow van een rentenierende makelaar. Hij was niet van het eiland, nee; had de bungalow vier jaar geleden neer laten zetten.

Daar mocht toch niet gebouwd worden?

De burgemeester had zijn tanden om de steel van zijn pijp geklemd. Een paar brandende stukjes tabak waren uit de pijpenkop gevallen en hadden kleine ronde gaatjes in de papieren voor hem gebrand.

Connecties, Wigman, connecties bij de provincie.

De burgemeester zou dus wel niet op goede voet staan met de makelaar?

Nee, dat was juist.

En de andere bungalow?

Die was in de tijd van zijn voorganger gebouwd.

Ook connecties?

De burgemeester wist het niet. Alleen zomers werd hij bewoond, meestal door buitenlanders. De eigenaar had hij hier nog nooit gezien.

Wigman was opgestaan, had zijn chef gebeld en gevraagd te laten zoeken in het gebied dat de visser hem had opgegeven. Van Beem had het nog steeds over een verdachte. Geen sprake van, zei hij. Daarna had hij de dorpsagent naar de onbewoonde villa gestuurd.

Hij had weer stukken doorgekeken. Het signalement was nogal gebrekkig. De foto van het meisje was recent, maar in de zomer genomen. Het kind droeg een lichtroze jurk met rouches, had stug blond haar, stakerige armen en benen. Niks bijzonders. Hij zou met de ouders moeten gaan praten.

Vreemd was dat. Met daders had hij geen moeite. Integendeel. De grootste ploert trad hij in volkomen gemoedsrust tegemoet. Doden had hij al te veel gezien. Een dode hield zijn bek. Daarom was een dode een verliespost. Altijd. Maar de slachtoffers, daar kon hij niet mee overweg. Echt verdriet was de pest voor je werk. Daarom was hij van het raadhuis ook niet meteen naar de ouders van het meisje gegaan, maar was hij naar de Tulpenlaan gelopen. Hij had een tijdje naar de koeien in het weiland gekeken. Je kon het gerasp van hun tongen horen. Plotseling had hij een man in de duinen zien lopen, een man met een verrekijker. Waarschijnlijk de een of andere vogelmaniak.

Hij had een tijd op de weg gestaan, doelloos voor zich uit kijkend. De voor de hand liggende oplossingen leken niet langer zo voor de hand te liggen. Het meisje was verdwenen; spoorloos.

De kroegbaas maakte zich van de televisie los. Leo Wigman luisterde naar de slotmuziek van de tv-serie die abrupt ophield. Hij wenkte de man. De café-eigenaar had smalle achterdochtige ogen die diep in de kassen lagen. Uit zijn opstaande neusgaten groeiden grijze plukjes haar.

'Nog een jonge.'

Hij gaf de man het lege glaasje waarin nog wat druppeltjes jenever kleefden.

Spraakzaam waren ze op het eiland in ieder geval niet. Ook de ouders van het meisje hadden tijdens zijn bezoek voornamelijk zitten zwijgen. De vrouw had hem strak en onafgebroken aangekeken, de man zenuwachtig en hem steeds met zijn blik ontwijkend.

Het kind had een door de moeder zelf gemaakte jurk gedragen. Waren er nog stukjes stof van over? Of knopen? Al was het maar een knoop. De vrouw knikte en ging naar de bovenverdieping.

Een tijdlang was hij alleen met de man, de vader van het kind. Ze moesten nog twee kinderen hebben. Op de schoorsteenmantel stond een ingelijste foto van twee jongens, zes en acht jaar zo te zien. De man had een timmerbedrijf. Ze hadden een ouderwetse wandklok die nadrukkelijk tikte.

Was er wel eens zo iets op het eiland gebeurd?

Niet dat de timmerman wist. Twee jaar geleden was er een meisje aangerand. Door een toerist. Een meisje van vijftien.

De vrouw was teruggekomen met een lapje hemelsblauwe glanzende stof, twee bruine stoffen knopen en een paar sokken. Zulke had ze aan, precies eender. Bruine leren laarzen. Maat 32. Lengte 1,44. Blond haar. Moedervlek op de rechter bovenarm. Leo Wigman schreef alles op.

De vrouw begon te huilen. Het ging heel gemakkelijk. Ze moest de hele dag bijna onafgebroken gehuild hebben. Jammerende uithalen, onderbroken door gesnuif en droog gesnik. Ze woelde door haar gepermanente haar, stond toen op en liep naar de keuken. Ze had rode vurige eczeemplekken in haar knieholtes.

Wij doen ons best, had hij tegen de man gezegd. De timmerman knikte stom. Leo Wigman voelde zich niet op zijn gemak. Hij had medelijden met de zwijgende wanhoop van de timmerman, die zijn vingers in en uit elkaar schoof.

Kende Anita het eiland goed? Kon ze zwemmen? Waren er mensen waar ze vaak over huis kwam? Nee, niet bij kinderen, bij volwassenen. Kende de timmerman mensen op het eiland die seksuele eigenaardigheden vertoonden? Afwijkingen?

De timmerman keek even vlug naar de openstaande keukendeur waardoor het geluid van een lopende kraan te horen was.

Die dingen spelen zich hier binnenskamers af, meneer.

Hij knikte. Natuurlijk. Maar het kon zijn. Een eiland is tenslotte een eiland.

In het halletje had hij zich omgedraaid.

'Ik wacht nog tot morgenochtend. Dan verspreid ik het signalement van uw dochter.'

Hij hield het lapje stof in zijn hand. De timmerman keek ernaar.

Daarom borg hij het achter zijn rug.

Of hij, de vader, daarmee akkoord ging.

De mondhoeken van de timmerman trokken naar beneden. Hij knikte.

De kroegbaas bracht zijn borrel. Leo Wigman dronk hem, tegen zijn gewoonte, in één teug leeg. Hij kon niet tegen slachtoffers. Morgen was het zondag. Ook dat nog. Hij stond op en hield de cameljas met gestrekte armen voor zich. Hij was te kort. Beslist.

De hoteldeur klikte in het slotje. Even zag hij het silhouet van de vrouw met het korte zwarte haar duidelijk afgetekend tegen het melkglas. Daarna werd zij weglopend een steeds lichtere schaduw die opeens oploste in het geribbelde glas.

Arend Wijtman stond in de gelagkamer en staarde naar het glas van de deur. Achter het afgedekte biljart zat een oudere vrouw met grijs gepermanent haar aan een tafeltje voor het raam. Ze keek tussen twee clivia's naar buiten terwijl ze afwezig in haar koffiekopje roerde.

Het geluid van het stalen lepeltje tegen de geglazuurde stenen wand van de koffiekop boorde zich een weg door Arend Wijtmans gehoorgangen tot diep in zijn hersens, waar het explodeerde en al het andere leven wegvaagde. Hij sloot zijn ogen en hield zich aan een stoelleuning vast.

Iemand die flauwgevallen was zei dat wel eens: ik ben zeker even weg geweest. Een verwonderde, licht gegeneerde blik.

Hij keek om zich heen. Zijn ogen vonden het geruststellende patroon van een schaakbord dat op de tapkast naast de bierpomp lag. Jan Zijlstra stond glazen af te drogen. Zijn handen waren rood en vochtig. Op het schaakbord lag een brief. Arend Wijtman hield zich met twee handen aan de ronde rand van de bar vast en las het adres. De brief kwam uit Canada, maar de letters waren onmiskenbaar door een Duitser geschreven. In iedere letter waren de rechthoekige overblijfselen van het gotische schrift zichtbaar. Frau Weri.

Een vochtige handpalm hield hem een sleutel met een

zwarte rubberen bal voor en legde hem toen op het schaakbord naast de brief.

'Die heeft hier van de zomer gelogeerd,' zei Jan Zijlstra. 'Lastig iemand, een astmapatiënt. Frisse lucht was goed voor haar, maar zij niet zo voor ons.'

Jan Zijlstra lachte. In de rechter bovenkaak miste hij een paar kiezen. Arend Wijtman pakte de sleutel op en ging naar zijn kamer.

Hij stond voor de wastafelspiegel in de badkamer. Hij knikte, zoals hij net met half afgewend gezicht tegen Jan Zijlstra had geknikt. Nu keek hij zichzelf recht in de ogen. Zijn gezicht leek zich in de spiegel van hem af te keren. Hij was even weg geweest, zoals men dat noemde, en nu had hij het gevoel dat zijn gezicht losliet. Daarom sloeg hij zijn handen ervoor.

Een ogenblik bleef hij zo staan. Toen liep hij de kamer in, trok zijn jas uit en legde zijn boekje op de ronde tafel bij het raam. Hij liet zich voorover op bed vallen en fluisterde.

Voor de eerste keer sinds hij op het eiland was praatte hij. In een kussen. Het waren zomaar woorden die hij fluisterde, in de hoop er een tussen te vinden die meer was dan een hese klank. Hij beet in het kussen en trok zijn knieën op.

Arend Wijtman lag als een kind op zijn zij, met opgetrokken knieën en een samengeknepen gezicht. Zijn mond was stijf gesloten.

Mensen zijn niet lang bestand tegen angst. Eerst gaan ze gapen, dan vallen ze in slaap. Eerst is de slaap diep en droomloos. Het lichaam ontspant zich. Pas veel later keert de wereld in hun bewustzijn terug. Dan wordt het lichaam onrustig; de handen beginnen te bewegen, het voorhoofd fronst zich. Ze dromen.

Arend Wijtman droomde dat hij op kantoor zat. Hij belde met een boekhandelaar, schreef met zijn vrije hand een bestelling op. Toen hij klaar was met schrijven legde hij de telefoon neer. Onmiddellijk begon het ding weer te rinkelen.

Hij opende zijn ogen en keek op zijn zij liggend naar de zwarte rinkelende telefoon naast zijn bed. De telefoon gaf een bescheiden geluid, in tegenstelling tot de felle en opdringerige rinkel in zijn droom. Na acht keer overgaan viel de telefoon stil. Hij streek met zijn wijsvinger van zijn ene hand voorzichtig over de rug van de hoorn.

Hoe lang had hij hier zo gelegen? Hij keek op zijn horloge. Tien voor acht. Om acht uur kwam Jan Zijlstra zijn avondeten brengen.

Plotseling had hij haast. Hij trok zijn jas aan en liep snel de trap naar de gelagkamer af. Hij zwaaide de glazen hoteldeur open en liep in een rechte lijn naar de uitgang.

Jan Zijlstra stond achter de tap. Hij riep iets.

Arend Wijtman wapperde afwerend met zijn handen en stapte naar buiten.

De kille avondlucht deed hem even naar adem happen. Bijna had hij weer iets gezegd. Hij perste zijn lippen op elkaar.

Sinds hij op het eiland was had hij nog niet met zulke doelbewuste stappen gelopen. Toch had hij geen doel. Voorbij de afgetuigde zeilboten liep hij het tweede havenhoofd op.

Aan weerszijden klotste het donkere water tussen de basaltblokken beneden hem. Het uiteinde van het havenhoofd was afgezet met een rond hekje. Zijn handen grepen het koude vochtige ijzer. Hij keek naar de om de minuut langsschietende lichtbaan van de vuurtoren. Zo nu en dan blikkerden er uit het zwarte gat voor hem wat lichtjes op; lampen van de boten, op zoek naar vis.

In het café aan de haven had hij er de vissers wel eens

over gehoord. Dagenlang volgde de vis dezelfde route. Je hoefde er alleen maar heen te varen en je netten uit te zetten, maar dan, plotseling, van de ene nacht op de andere, was ze verdwenen, had ze haar onderwaterkoers verlegd. Daarom moesten er overdag altijd een paar boten de zee op om de vis opnieuw op te sporen. Gelukkig hielpen de meeuwen daarbij. 'Meeuwen hebben geen bed,' had een van de vissers gezegd en de anderen hadden daar zo'n beetje om gelachen. Iedereen kende die uitdrukking blijkbaar.

Het moest mistig zijn op zee. Zo nu en dan werd de rechte stralenbundel van de vuurtoren gebroken door een melkig kolkende mistflard en barstten de lampen van de vissersboten ver op zee tot vlak naast elkaar glitterende stralenkransen uiteen.

Hij kreeg het koud, draaide zich om en liep het havenhoofd af. Hij had trek in een borrel. Vooral nu hij niet gegeten had, verheugde hij zich op de eerste brandende slok.

Hij had nog steeds geen doel. Toch voelde hij zich al wat beter.

Hij was nog buiten het bereik van de straatlantarens toen hij de man met de cameljas het café uit zag komen. De man bleef even staan, sjorde aan de kraag van zijn jas en liep toen de hoofdstraat in, in de richting van de kerk. Hij had een brede sterke rug.

Arend Wijtman liet het niet bij die ene borrel.

Al luisterend naar de mannen aan de bar, die het over het vermiste meisje hadden en over de slechte of goede visvangst, welk van de twee daar kon hij niet goed achter komen, schonk hij zich gedachteloos in uit de fles die de eigenaar naast hem had neergezet.

Dat was niet de gewoonte op het eiland, maar de eigenaar maakte voor de vreemdeling een uitzondering. De man kon alleen maar wijzen. Het was makkelijker zo, minder opvallend ook voor de andere klanten.

Het brandende gevoel van de eerste slok maakte plaats voor een wazig welbehagen.

Hij stond op met het glas en de fles in zijn hand en ging aan een tafeltje vlak bij het televisietoestel zitten. Onbewogen keek hij naar het amusementsprogramma; korte sketches, afgewisseld met zangers of gedans.

Om hem heen werd zo nu en dan even gelachen. Hij lachte mee. Om te kijken hoe dat voelde.

Toch moest hij soms nog wel uit zichzelf lachen. Om een openstaand tuinhekje of een witte verkeersstreep midden op de weg. Hij herinnerde zich een huurkamer in de stad. Jaren geleden had hij daar gewoond. Aan de muur boven zijn bed had hij een foto van twee wielrenners hangen die vlak naast elkaar over de finish stoven. Met een banddikte verschil. Zoals een ander een cartoon aan de muur zou prikken. Er kwam niemand op die kamer dan hijzelf. Daarom had hij ook nooit hoeven uit te leggen waarom hij de foto zo grappig vond.

Misschien kwam het door de drank dat hij niets van het televisieprogramma begreep.

Ook voor de maan hing een nevelige sluier. De lucht was vochtig en zacht. Misschien zou het morgen wel regenen. Hij had er nog nooit over nagedacht wat hij op het eiland zou moeten doen als het ging regenen.

De sleutel van zijn kamer hing niet aan het sleutelbord. Hij kon zich niet herinneren hoe hij precies het hotel was uitgegaan. Misschien kwam dat omdat hij te veel gedronken had.

De deur was open, de sleutel stak aan de binnenkant in het slot. Hij kleedde zich uit.

Hij was niet gewend veel te drinken. Hoewel hij meteen insliep, schrok hij voortdurend wakker. Hij zweette. Aan de verwarming kon het niet liggen, die stond al op laag.

Het moest de jenever zijn. Of het zachte weer. Het geluid van de golven tegen de kadewand klonk holler, de golven volgden elkaar sneller op. De wind was opgestoken.

‘Als u soms wilt uitslapen morgen.’ De vrouw van agent Lozen had begrijpend geglimlacht.

‘Ik ben hier niet om uit te slapen,’ had Leo Wigman geantwoord. ‘Hoe laat begint de kerk hier?’

‘De kerk gaat om halftien aan.’

Lozen had de rechercheur verbaasd aangekeken. ‘Bent u dan ook hervormd?’

Wigman had zijn hoofd geschud. ‘Het kan geen kwaad ze eens allemaal bij elkaar te zien,’ zei hij.

‘Zou de moordenaar dan van het eiland komen?’

‘Hoe bedoelt u. Wie gebruikt er hier het woord moordenaar?’

Hij keek de net iets te opzichtig opgemaakte vrouw van de agent aan.

Leo Wigman had de krant van tafel gepakt, de agent en zijn vrouw welterusten gewenst en was naar boven gegaan. Hij probeerde eerst het schaakprobleem uit zijn hoofd op te lossen. Toen dat niet lukte begon hij aan de kruiswoordpuzzel. De vrouw van Lozen was er al aan begonnen. Hij grinnikte. Een ander woord voor stoel. Daar was ze niet uitgekomen. Hij vulde het woord in. Toch dwaalden zijn gedachten voortdurend af. Hij ergerde zich. Zowel aan zichzelf als aan de hele zaak. Hij kon niet goed tegen een confrontatie met de slachtoffers. De zenuwachtig wriemelende handen van Peekman, de timmerman, de eczeemplekken in de knieholtes van zijn vrouw, de kraan in de keuken die maar bleef lopen.

Op zee hadden ze niks gevonden. Ook langs de kust van

de naburige eilandjes niet. Wel een dode zeehond. Een zeehond met een gapend gat in zijn zij, waarschijnlijk van een raket. Als je piloot van een straaljager bent, wil je ook wel eens op een levend doel schieten. Het was natuurlijk verboden.

Lozen had nog een ruit gebroken ook, toen hij de leegstaande bungalow was binnengedrongen. Hij had hem van onder tot boven doorzocht. Er was al in geen maanden iemand geweest. Overal lag dezelfde dikke laag stof.

'Zou de moordenaar dan van het eiland komen?'

Zo gek was die vraag natuurlijk niet geweest. Een mens kon nu eenmaal niet zomaar verdwijnen. Zelfs een meisje van elf niet.

Hij liep naar de muurkast en pakte het lapje stof en de knopen eruit.

Het eiland was klein, vijfendertig vierkante kilometer. Maar groot genoeg om ergens een meisje te begraven met kleren en al.

Plotseling zag hij de gezichten in de kroeg voor zich. Die verdomde gesloten koppen allemaal. Als je over het weer begon, keken ze je aan alsof je het over hun vrouw had.

Hij pakte het hemelsblauwe lapje en de bruine knopen en stommelde naar beneden.

De agent en zijn vrouw zaten aan tafel. Ze keken een beetje betrapt naar hem op. Ze hadden over hem zitten praten, dat was duidelijk.

Hij gooide het lapje en de knopen tussen hen in op het tafelkleed. 'Ik wil dat je dit morgen naar Van Beem brengt,' zei hij.

'Maar het is morgen zondag.'

Zonder te antwoorden op de opmerking van Lozen liep Leo Wigman naar de hoek van de kamer, waar op een laag tafeltje een telefoon stond. Hij draaide het privé-nummer van Van Beem.

'Ik heb hier een stukje van de stof en een paar knopen van haar jurk. Ik wil een opsporingsverzoek. Door het hele land en op de tv.'

Hij zweeg even, luisterde.

'Ik weet het, ik weet het, maar wat moet ik dan, het eiland laten omspitten?'

'Hoe laat?'

Wigman draaide zich een halve slag om. De agent was de kamer uit. 'Hoe laat gaat de boot?'

''s Zondags om halfnegen,' zei de vrouw.

'Om tien uur is hij bij je.'

Wigman luisterde naar wat zijn chef aan de andere kant van de lijn te berde bracht terwijl hij een grijns trok tegen de vrouw aan tafel. Ze lachte tegen hem. Ze had een grote, roodgestifte mond.

'Geluk. Geluk en toeval, Van Beem,' zei hij. 'Die moet je op je hand zien te krijgen. Welterusten.'

Hij sloeg de hoorn op de haak en keek de vrouw aan.

'Mijn man is alvast naar bed gegaan. Wilt u nog iets drinken?'

Hij mompelde iets onverstaanbaars, maar ging toch aan tafel zitten. Het was morgen immers zondag.

Een doodlopende weg, dacht hij. Hij keek naar de vrouw die nu met haar rug naar hem toe voor het dressoir stond. Ze droeg een donkerbruine glanzende rok waarin haar billen zich duidelijk aftekenden. Hij hoorde het geluid van inschenken. Voordat ze het jeneverglaasje oppakte, trok ze haar roze trui strak. Ze had inderdaad grote borsten. Hij keek haar over het glaasje aan en dronk toen voorzichtig af. Er liep toch wat jenever over het voetje. Hij veegde het zorgvuldig met zijn wijsvinger van het glas en likte zijn vinger af. De vrouw keek hem aan. 'Zegt u eens eerlijk. Is Anita vermoord?'

Hij dronk zijn glaasje leeg. Ze stond op en pakte de fles van het dressoir. Ze schonk hem nog eens in.

'Dat denkt mijn chef.'

'En u?'

'Ik weet het niet. Het kan. Alles kan.'

'U weet niet wat u moet doen hè?'

Hij keek de vrouw aan. Ze had lichtblauwe meisjesachtig jonge ogen in een verder saai en wat verfrommeld gezicht. Haar ogen waren hem niet eerder opgevallen. Ze keek hem spottend aan. Hij gaf geen antwoord. In plaats daarvan stelde hij haar een wedervraag.

'Hebt u enig idee?'

'In het dorp zou ik het niet weten.'

Ze stopte een duim in haar mond en beet op haar nagel.

'Misschien die vreemdeling,' zei ze toen.

'Welke vreemdeling?'

'In hotel Van Dam. Hij is op het eiland gekomen toen ze nog leefde en nu is ze dood.'

Het klonk als logica.

'Maar waarom juist hij? Praktisch alle eilandbewoners waren op het eiland voordat het gebeurde.'

'De vreemdeling is stom.'

'Stom?'

'Dat hij niet kan praten, bedoel ik. Hij logeert bij Van Dam. Of Zijlstra dan, want zo heet de eigenaar. Hij schrijft alles op in een notitieboekje.'

Leo Wigman dronk zijn tweede glas jenever leeg en stond toen op.

De vrouw bleef zitten. Ze keek hem met haar merkwaardig jeugdig gebleven ogen aan. Ze wachtte nog steeds op een antwoord.

'Mensen die niet kunnen praten zijn daarom nog geen misdadigers,' zei hij.

Hij was bij de deur.

'Ik zie u morgen in de kerk.'

Ze knikte.

Niet alleen de als een slanke obelisk uitlopende toren, ook de rest van het witte kerkje was van hout.

Leo Wigman zat in een van de achterste banken. Zijn hoed had hij voor zich gelegd, boven op het zware zwarte psalmboek. Hij luisterde niet naar de dominee, maar naar de wind die de balken en spanten van het dak deed kraken. Hij keek omhoog. Vakwerk. Goed bijgehouden.

Alhoewel het hele eiland hervormd was, zaten er niet meer dan zo'n honderd, honderdtwintig mensen in de kerk. Veel meer konden er trouwens niet in. Meest ouderen waren het, een enkel helgekleed kind.

De dominee op de kansel was jong en onduidelijk. Zo nu en dan ving Leo Wigman een woord op. Pas toen de dominee over het vermiste meisje begon, leunde hij voorover. Hij werd te dik. Zijn broeksband snoerde in zijn buik.

De dominee sprak over een groot verdriet dat de ouders getroffen had. Omdat de rechercheur de hoofden voor zich allemaal in een bepaalde richting zag draaien, nam hij aan dat de timmerman en zijn vrouw ook in de kerk waren. Vanaf zijn plaats kon hij hen niet zien. Ze zaten waarschijnlijk achter de eerste dwarsbeuk.

Niet alleen een groot verdriet maar ook een tergende onzekerheid waar met Gods hulp zo gauw mogelijk een einde aan moest komen, zei de dominee.

Terwijl de gemeente de handen vouwde en de hoofden boog, leunde Leo Wigman achterover in de harde kerkbank.

Met Gods hulp had de rechercheur nog nooit iets weten op te lossen. Wel met geluk en toeval.

Hij ging verzitten. De kerk was sober en eenvoudig van inrichting. De enige versiering werd gevormd door de vergulde orgelpijpen en een enorme zwarte kroonluchter die precies in het midden aan een lange schakelketting naar beneden hing. De onzichtbare organist zette een voorspel in. Ritselend kwamen de mensen omhoog. Ze begonnen slepend te zingen. Hij stond op en schoof de lange kerkbank uit.

De mensen die niet naar de kerk waren zaten waarschijnlijk allemaal binnen. Op het pleintje waaraan de kerk en het raadhuis lagen, liep alleen een zwartwit gevlekte hond. De hond liep om het afgerasterde gazon in het midden van het plein, bleef stilstaan en keek beurtelings naar de kastanjeboom achter het hekje en naar hem. Leo Wigman maakte een gebaar. Spring dan. De hond schrok er zo van dat hij even door zijn poten zakte en het toen met scheve sprongen op een lopen zette. Geen rashond dus.

Langzaam liep de rechercheur het dorp uit. Hij passeerde het huis van de timmerman zonder er erg in te hebben. Zonder op te kijken liep hij langs het weiland waar de koeien stonden te grazen.

Het was zondag en hij was nog geen stap verder.

Buiten het dorp volgde hij een onverharde weg. De weg boog in de richting van de duinen af. Hij trok een grasspriet uit de berm en stak hem in zijn mond. De wind was hard. Windkracht zes op zijn minst. De lucht was strak en blauw. Geen wolkje.

Toen hij een vierkante schoorsteen van nieuwgemetselde stenen achter een duin omhoog zag steken, begreep hij dat dit de bungalow van de man met de connecties moest zijn. De makelaar met wie de burgemeester het niet zo goed kon vinden.

Hij liep langs een groot raam. Er stond een leren bank in de lengte van de kamer. De kamer had een L-vorm. In het korte gedeelte stond een eettafel met vier stoelen, een moderne knalrode lamp hing erboven. Geen spoor van de bewoners. Die lagen nog in bed natuurlijk, of zaten te eten. Op een krukje stond een paar helgroene modieuze damesschoenen. Hoe heette de makelaar? De deur kwam hem met het naambordje te hulp. J. Ris.

Leo Wigman volgde het pad tot aan een tweesprong. Rechtdoor kon hij door het mulle zand naar boven sjouwen. Linksaf liep een weg het reservaat in dat Duinzicht heette.

Hij koos de weg van de minste weerstand.

Zijlstra wekte hem met zijn vertrouwde klopje op de deur. Kort, gedecideerd maar toch nog net beleefd. Hij knipte het licht aan. Zijlstra droeg een donkerblauw pak, een lichtblauw overhemd met een donkerblauwe stropdas waarin hij een parelmoeren dasspeld had gestoken. Zijlstra zette het blad met het ontbijt voorzichtig neer.

'Het is zondag vandaag,' zei hij. 'Van halftien tot een uur of elf ben ik in de kerk. De thee moet nog even trekken.'

Hij stond bij de deur.

'Een prettige dag nog verder.'

Arend Wijtman kleedde zich langzaam en zorgvuldig aan. Een nieuwe lichtblauwe coltrui. Het was zondag tenslotte. Honderd procent zuivere wol stond er in de hals. Hij trok zijn jas aan, schoof het notitieboekje in zijn binnenzak, pakte de kijker uit de klerenkast en hing hem om. De geur van nieuw leer en aftershave. Hij tikte even voorzichtig met zijn knokkels tegen de kastdeur.

Hij volgde de Randweg en stak toen de duinen in. Hij wilde een eind langs het strand lopen. Afgewaaide distels en plukken helmgras woeien over het zand tegen zijn jas. Een verdomd strakke wind. Soms moest hij met een hand zijn ogen beschermen tegen het stuivende zand.

Op het laatste duin bleef hij even staan. Overal verspreid doken korte witte schuimkoppen in de golven op. Het was eb. De vloedlijn was donkerder en breder dan gisteren. Behalve algen en schelpen lagen er flessen en stukken hout op het strand. Op de zandplaten scharrelden meeuwen rond. Hij zette de kijker voor zijn ogen. Hij zag de meeuwenbekken krijsend opengaan maar horen deed hij ze niet. Het enige wat hij hoorde was de zee. Over het harde vochtige zand liep hij verder.

Hij bleef staan; raapte een steen op en gooide hem in zee tot achter de branding. Het stelde hem niet gerust. Hij gooide er nog een, toen nog een. Het was net als gisteren in het café toen hij naar de televisie had zitten kijken. 'Alsof de loop plotseling uit de gebeurtenissen valt'. Zo had hij het later proberen te formuleren in zijn notitieboekje. Hand, steen, water. Het één leek hem niet langer uit het ander voort te komen. Alsof overal een punt tussen stond. Hij dacht in zichzelf: ik gooi een steen. Kijk maar.

Hij gooide een steen. De woorden stelden hem niet langer gerust.

Wat is er gebeurd, dacht hij. Of ben ik een gewoonte kwijtgeraakt.

Hij schrok van het luide geblaf van een hond achter hem. Hij draaide zich om. De zwarte bouvier bleef kwispelstaartend voor hem staan. De hond wilde dat hij nog een steen gooide. Hij bukte zich en gooide een grote steen. De hond rende de branding in en begon in de richting van de plek te zwemmen waar de steen in zee was verdwenen. Arend Wijtman richtte zijn kijker op het dier. De oren lagen plat en nat tegen de hondenkop. Plotseling draaide de hond in het water om en begon terug te zwemmen. Het leek net alsof de hond had nagedacht. Zo zag het eruit.

Hij liep door. Op de een of andere manier was hij de hond dankbaar. Daarom bleef hij staan en keek nog eens om. De hond liep de andere kant op, met zijn snuit dicht bij het zand. Het beest volgde een spoor. Nu weer vlak bij de zee, dan weer midden op het strand. Zo nu en dan begon hij plotseling een stuk te rennen. Hij keek de hond lang na.

Hij draaide zich weer om, liep nog een eind langs zee en

ging toen hetzelfde duinpad op waar hij zich de droom had herinnerd, de droom over het meisje in het bad. Omdat hij dit pad al een keer eerder had genomen, kon hij zich ook voorstellen wat er zo dadelijk zou gebeuren. Hij zou boven op het duin aankomen, zijn kijker aan zijn ogen zetten en zien hoe een man zich bevredigde met een pop. Even had hij het gevoel dat hij ergens naar toe leefde. Dat hij voor zich in het zand sporen van de bouvier zag, leek hem een goed voorteken.

Hij ging nu iets lager zitten, net over de top van het duin heen, met zijn voeten half in een duindoornstruik. Hij keek naar de dieporanje bessen aan de stijve takken van de struik. Er zaten korte dorens aan. Hij stak zijn hand uit en duwde hem plotseling met kracht in de struik, trok hem daarna onmiddellijk weer terug. Hij verbaasde zich over de snelheid van zijn eigen reactie. Hij zoog op de krassen die de dorens op de rug van zijn hand hadden achtergelaten. Toen pas zette hij de kijker voor zijn ogen en keek naar de bungalow.

De man in de cameljas liep er net voorbij. Hij bleef staan, keek door het raam de lege kamer in en liep toen naar de deur. Hij belde niet aan, bestudeerde alleen maar het naambordje. Toen liep hij door.

Zo nu en dan bukte Leo Wigman zich, raapte een dennenappel van de grond en gooide hem een eind weg.

Ik kan toch niet het hele eiland laten omspitten, had hij tegen Van Beem gezegd, gesnauwd bijna. Trouwens, dit was beschermd gebied. Bouwen mocht je er niet en graven nog minder.

Het was zondag, mooi weer. De wind boog de toppen van de bomen naar het westen maar hij had weinig oog voor het natuurschoon. Integendeel, hij was eigenlijk geïrriteerd door die zwijgende gedrongen omgeving waar zo nu en dan een harde windvlaag doorheen trok. Hij sloeg wat dorre omgekrulde bladeren van zijn jas. Hij stak zijn handen in zijn zakken en keek om zich heen. Als er hier ergens ooit sporen waren geweest, had de wind ze al lang weer uitgewist. Over een duin, beplant met jonge rijen helm, trok de wind rimpels, als over een waterplas. Onder zijn ogen zag hij ze verdwijnen en ergens anders aangeblazen door een andere windvlaag weer opkomen. De zakken van die jas waren trouwens ook te ondiep. Hij kon er zijn handen niet eens helemaal in kwijt. Hij raapte een konijnenkeutel op. Reukloos. Hij gooide het klontje in de richting van een vijvertje. Twee bruine eenden verwaardigden zich zelfs niet naar de keutel om te kijken. Wat liep hij hier te doen.

Hij keek op zijn horloge. Hij had langzaam gelopen, geslenterd bijna. Hoogstens vier kilometer per uur. De twee reservaten samen waren een kilometer of acht lang. Hij moest zowat op de helft zijn, in het reservaat dat op zijn geplakte kaart Vogelweide heette. Veel vogels zag hij trouwens niet. Een enkele keer een merel, wat mussen, een kraai die pikzwart vanuit een berk op hem neerkeek en daarna even met zijn vleugels klapperde. En dan natuurlijk de meeuwen boven hem, zwijgend laverend op de wind.

Op de kaart had het allemaal zo eenvoudig geleken. Een eilandje van niks. Verbazingwekkend hoe een oplossing zich daar zolang kon schuilhouden.

Hij raapte nu geen dennenappels of konijnenkeutels meer op. Hij liep met korte snelle passen. Hij had een besluit genomen. Morgen zou hij teruggaan. Hij had hier niets meer te zoeken.

Hij kwam bij een oud spoorlijntje uit dat hij van biels op biels springend in de richting van het dorp volgde. Hij kreeg er pijn in zijn kuiten van. Daarom stak hij het spoorlijntje over toen hij het eerste huis zag. Waar een huis stond liep meestal ook een weg.

De oude rokerij was met planken dichtgespijkerd. Er stond een bord: Gevaarlijk speelterrein. Hij liep om het stenen gebouwtje heen. Er lagen planken en stukken wapperend plastic tegen de muur. Een regenpijp was halverwege de grond afgebroken. Over de muur eronder liep een uitwaaierende donkere vochtplek. Aan de achterkant waren een paar planken voor een deuropening weggesloopt.

Hij wrong zich naar binnen en vloekte. Voorzichtig maakte hij zijn mouw van de spijker los. Op die jas rustte geen zegen. Misschien dat de vrouw van Lozen de winkelhaak kon maken.

De betonnen vloer van de rokerij was op verschillende plaatsen opengebarsten. Onder het schoorsteengat was een enorme schouw gemetseld waar vroeger op rekken boven elkaar de vis in werd gerookt. De ruimte was hol en tochtig. Het rook er naar nat beton en vochtig papier. In een hoek stonden wat kapotte schragen tegen de muur gestapeld. Hij schopte een leeg bierblikje over de grond. Nergens een kelder of een gat waar iemand in kon vallen.

Planken en dakspanten hingen boven zijn hoofd te schommelen. Knap gevaarlijk met die wind. Hij kreeg weer de pest aan zichzelf. Wat zocht hij toch. Dit was wel de allereerste plek waar iedereen naar toe holde als er een kind verdwenen was. Toch bleef de hoop, een oplossing te vinden, aan hem knagen. Een kleine aanwijzing maar, hoe gering ook. Het was tenslotte zijn vak. Problemen zijn er om opgelost te worden. Zo zou Van Beem het formuleren. Maar soms waren er problemen waar geen oplossing voor gevonden werd. Zelfs niet door mensen die daar hun vak van maakten. Bijna dertig procent om het statistisch zuiver te stellen. Iedere politieman haatte die dertig procent. Er zaten geen promotiekansen in.

Hij stapte nu heel omzichtig weer naar buiten. Achter de rokerij had vroeger een steiger gelegen. Het enige wat er van over was, waren wat scheef uit het water opstekende palen, hier en daar nog verbonden door een dwarsbalk.

Hij liep over de boulevard terug naar de dorpskern. Een meeuw vloog van het boulevardhek op en gaf een kreet, kort en meteen weer weggevaagd door de wind.

Alles had hier zijn beste tijd gehad. Door de vervuiling dreigde de vis een heel andere weg te nemen, buiten het bereik van de vissersschepen hier. Zo'n soort verhaal had hij in het café opgevangen. De jongelui bleven dan ook zelden op het eiland hangen. Er zat geen toekomst meer in. Het werd hier één groot bejaardentehuis. Je zag het al in het café.

Hij stak de boulevard over en ging Hotel Van Dam binnen. Het café was leeg. Een zeil over het biljart, de klokken op nul. Iedereen zat zeker nog in de kerk. Hij liep naar de bar. Alle sleutels hingen aan het sleutelbord. Twaalf stuks. Niemand was dus op zijn kamer. Ook die doofstomme niet waar de vrouw van Lozen het over had gehad. Hij hoestte eens, roerde met een vinger in de spoelbak. De deur naast de bar ging open.

Jan Zijlstra trok zijn das recht. 'O, bent u het.'

Wigman knikte, legde zijn hoed op de bar en ging op een van de krukken zitten.

'Ik kom net uit de kerk,' zei de hoteleigenaar. 'Wilt u koffie?'

'Geef maar een cola.'

Zijlstra schoof een glas naar de rechercheur en schonk het halfvol. Het flesje zette hij op een viltje ernaast. Hij leunde tegen de glazen kast waarachter drankflessen stonden en twee doffe bekers van de korfbalclub die vijf jaar geleden was opgeheven bij gebrek aan nieuwe leden. Hij zweeg maar hij keek oplettend naar de rechercheur.

Wigman wees op het sleutelbord.

'Geen gasten?'

'Twee. Ze zijn wandelen, denk ik.'

Leo Wigman knikte en nam een slok cola.

'Een echtpaar?'

'Nee.'

Wigman keek naar de afstaande toefjes haar van de hoteleigenaar. Zo zou hij er over een jaar of wat ook uitzien. Kaal, op twee van die mallotige pluimen boven zijn oren na.

'Die man is doofstom, is het niet?'

'Doof is hij niet,' zei Zijlstra. 'Hij kan alleen niet praten. Hij schrijft alles op in een boekje.'

'En de vrouw?'

'Ach, vrouw, een meisje is het eigenlijk nog. Ik begrijp niet wat ze hier komt zoeken. Ze heeft een brief ontvangen.' Zijlstra noemde de plaats waar de brief vandaan kwam.

Wigman reageerde er niet op. Hij staarde in de koolzuurbelletjes in zijn glas.

'U bent nog niet veel verder, is het wel?'

Het klonk een beetje ironisch. Ongeveer net zo had de vrouw van agent Lozen zich gisteravond uitgedrukt. Zangerig en langgerekt. Misschien dat het hem daarom wat pesterig in de oren klonk. Misschien kwam het alleen maar door het dialect. Misschien had hun manier van kijken ook geen speciale betekenis. De oude visser aan de haven toen hij bezig was met dreggen. Zo keek de hoteleigenaar nu ook, alsof hij zich ten onrechte met hun zaken bemoeide, niets anders dan een indringer was, een vreemdeling. Een schattende, wat misprijzende blik.

'Ik weet het nog niet,' zei hij. Zijn antwoord klonk kortaf. 'Wat doet die man eigenlijk?'

Jan Zijlstra pakte zijn register.

'Boekhandelaar,' zei hij na een tijdje.

'Dat bedoel ik niet,' zei Leo Wigman en zette zijn hoed op. 'Ik bedoel hier, op het eiland.'

'Hij wandelt veel. Hij heeft een kijker, een Japanse. Gloednieuw.'

'Natuurliefhebber?'

'Ik denk het.'

'Wat vindt u van hem?'

'Wat zal ik van hem vinden. Hij zegt niets. Meestal eet hij op zijn kamer.'

'En van haar?'

'Van juffrouw De Bont?'

'Juffrouw?'

'Voor zover ik weet wel, ja. Ze komt uit de hoofdstad. Ze is typiste.'

'Dat weet ik. Ik heb de hotelregisters ook gelezen.'

Jan Zijlstra zweeg. Hij wist het echt niet. Hij had er gewoon nog nooit over nagedacht.

'Is het een eigenaardige man?' vroeg de rechercheur.

Jan Zijlstra dacht na.

'Je weet het natuurlijk nooit,' zei hij.

'Niet dus.'

De hoteleigenaar schudde zijn hoofd. Nee, eigenaardig kon hij zijn gast niet noemen.

De rechercheur stond van zijn kruk op en betaalde. Door zijn vragen had hij de ander misschien het idee gegeven dat hij de man die niet spreken kon verdacht. Daarom zei hij: 'Het was zomaar nieuwsgierigheid van me. Meer niet.'

Jan Zijlstra knikte. Hij keek de rechercheur na. Hij had zijn bezoek verwacht. Nu was hij opgelucht. Hij hield niet zo van de politie. Zeker niet als ze helemaal van het vasteland kwamen.

Leo Wigman liep langzaam naar het huis van agent Lozen. Het lag achter de kerk in een smal straatje dat dan ook de Kerkstraat heette. Glasgordijnen, keurig fantasieloos tuintje met een rododendronstruik die doorboog in de wind. Hij deed het tuinhekje open. Net toen hij aan wilde bellen werd de deur geopend.

De vrouw van de agent had blosjes op haar wangen. Ze zag er opgewonden, gejaagd uit. Ze fronste haar wenkbrauwen zodat er nog meer vouwen in haar gezicht kwamen. Haar ogen, die hij eens meisjesachtig gevonden had, vertoonden nu dezelfde zorgelijke uitdrukking als de rest van haar gezicht.

'Gelukkig dat je er bent,' zei ze en trok hem aan zijn mouw naar binnen. 'Fred heeft een ongeluk gehad.'

Hij zette zijn hoed af. Ze pakte de hoed automatisch van hem aan. Zo stonden ze tegenover elkaar in het halletje. Een ongeluk?

'Hij ligt met een gebroken been in het ziekenhuis.'

Ze keek hem aan. Hulpeloos. Hij pakte haar bij haar schouders en duwde haar een beetje onhandig voor zich uit de huiskamer in.

'Een gebroken been,' herhaalde hij terwijl hij tegen de tafelrand leunde. 'Hoe kan dat nou?'

'Hij is van de trap van het politiebureau gevallen.'

'Gestruikeld?'

Ze knikte. Hij zweeg. Hij moest opeens aan de vrouw

van de timmerman denken, de lopende kraan.

Ze had 'je' tegen hem gezegd. Goed dat je er bent. Ze wist niet wat ze doen moest.

Hij trok zijn jas uit en legde hem op tafel. Daarna ging hij zitten.

'Moet je niet naar hem toe?'

'Morgen.'

Hij gebaarde dat ze tegenover hem moest gaan zitten. Ze liep om de tafel heen. Ze leek op een hond die zijn baas kwijt is. Ze liep tegen een stoelpoot op, trok de stoel daarna veel te ver naar achteren. Ze was flink in de war. Hij zuchtte.

'Goed,' zei hij. 'Ga dan morgen samen met mij. Ik was toch van plan morgen te vertrekken.'

Haar gezicht ontspande zich. Ze vroeg of hij een borrel wilde. Hij knikte.

'Ik ben moe,' zei hij, 'doodmoe. En nu dit nog.'

Hij pakte de mouw van de jas en hield hem in de hoogte. 'Wel niet zo erg als een gebroken been maar toch vervelend. Hij was pas nieuw.'

Ze pakte de jas, bekeek de winkelhaak en ging toen haar naaigerei halen.

Hij keek naar haar bezige handen terwijl hij zich in een langzaam maar zeker tempo uit de fles naast zich op tafel inschonk. Zo nu en dan keek ze hem over haar werk heen aan. Hij deed alsof hij dat niet merkte, alsof hij in gedachten verdiept was. Haar ogen werden langzaam weer de ogen van het meisje dat ze eens geweest moest zijn.

'Het onderzoek is vastgelopen,' zei ze zonder op te kijken. Toen keek hij haar aan. Hij vond haar aardig. Ze had het zonder leedvermaak gezegd ditmaal, als een constatering. Niet als een eilandbewoner maar als een betrokkene, de vrouw van de dorpsagent.

Hij knikte.

'Het is beroerd,' zei hij. 'Vooral voor de ouders.'

Ze maakte het eten klaar. Spruitjes, karbonade, aardappelen. Hij hield de borrel erbij. Ze zei dat ze het zo erg vond van dat kind. Het was een leuk kind, zei ze. Ze kon mooi zingen.

'Was?' vroeg hij. 'Kon?'

'Ja, was,' zei ze. 'Of geloof je dan dat ze nog in leven is?'

'Als politieman mag ik die mogelijkheid niet uitsluiten.'

'Ik voel dat ze dood is,' zei ze.

'Een gevoel is geen bewijs.'

'Dat zeggen alle mannen.'

'Alle politiemannen,' verbeterde hij.

Ze glimlachte. Ze had werkelijk heel bijzondere ogen.

Om acht uur was hij aardig dronken. Hij wilde geen koffie. Ze keken samen naar de televisie. De omroepster las het politiebericht voor. Het portret van Anita Peekman verscheen in de huiskamer.

'Het lijkt niet,' zei ze.

'Dat had je niet moeten zeggen,' zei hij Ze keek hem aan. Ze begreep hem niet.

'Zo bedoelde ik het niet,' zei ze.

Ze legde haar hand op de zijne. Hij trok zijn hand niet terug. Haar hand was koel, alsof ze hem net gewassen had. Hij keek van haar blauw geaderde hand naar haar ogen.

'Ik ben dronken,' zei hij. 'Ik wil je kussen.'

Omdat hij dronken was gebruikte hij het woord kussen in plaats van zoenen of een zoen geven.

'Laten we dan naar boven gaan,' zei ze. 'Een dorp is een dorp, zeker op een eiland.'

Hij stond op.

'Vijfendertig kilometer,' zei hij. 'Vijfendertig vierkante kilometer, bedoel ik. Zand en duinen. Honderd koeien misschien. Honderd koeien en een handjevol vissers. Godverdomme.'

Hij liep achter haar de trap op. Ze had geen eczeem in haar knieholtes. Integendeel. Ze had eigenlijk heel mooie benen.

Pas aan de zuidkant van het eiland kreeg hij de wind in de rug. Zijn grijze jaspanden woeien voor hem uit. Toen hij opnieuw een zwarte hond in de verte over het strand zag komen aanrennen, zette hij de kijker voor zijn ogen. Het was een zwarte bouvier met een leren riem om zijn hals die achter hem over het zand sleepte. Soms struikelde het beest bijna wanneer de riem tussen zijn slingerende achterpoten raakte. Was het een andere bouvier of dezelfde van daarstraks maar nu met een riem om?

Hij zocht met zijn kijker de duinrand af terwijl de hond hem zonder een spoor van herkenning voorbij draafde. Op een brede duintop stond de bewoner van de bungalow, de man van de pop. Zijn donkere haar slierde naar een kant in de wind. Hij droeg een lange loden jas en hield zijn handen in zijn zakken. De man keek recht in de lenzen van zijn kijker. Hij had kleine ogen met borstelige wenkbrauwen. De man kneep zijn ogen even samen alsof hij bijziende was. Toen wendde hij zijn hoofd snel af, deed een paar onhandige stappen naar achteren en verdween achter de duintop. In de rug van de loden jas zat een diepe plooi.

Arend Wijtman keek over het strand. De hond was niet meer dan een licht slingerende vlek over een zilverig witte zandvlakte. Hij liep door. Het was alsof de man van de bungalow zich aan zijn gezichtsveld had willen onttrekken. Alsof hij bang was om bekeken te worden. Zo had het eruit gezien tenminste.

Het was eb. Hij richtte de kijker op de drooggevallen zandplaten. Die groene plukjes, dat was zeesla en dat purperen vlekje ernaast, waar die kokmeeuw net opvloog, dat was roodwier. Die kennis had hij ook van zijn vader, die naast aardrijkskunde biologie als bijvak had gestudeerd.

Hij moest de laatste tijd vaak aan zijn vader denken. Hij begreep niet goed waarom. Drie jaar voor zijn dood had hij hem voor het laatst gezien. Het was op een avond. Hij was toevallig in de buurt en belde aan. De gordijnen waren al gesloten. Zijn vader zat aan de huiskamertafel een beker warme melk te drinken. Dat doet hij altijd voor hij naar bed gaat, zei zijn moeder; een beker melk, voor zijn maag. Hij had geknikt en naar zijn vader gekeken die met getuite lippen voorzichtige slokjes van de melk nam. Zijn handen trilden. Zijn huid zat vol tabaksbruine pigmentvlekken.

Nu waren ze alle twee dood.

Vlak voor zich hoorde hij de korte keffende kreet van een meeuw.

Het mantelmeeuwtje lag plat op zijn buik in het natte zand, net buiten het bereik van de uitlopende golven. Zijn vleugels staken stijf en zwart van hem af. De vleugelpennen leken ongebroken maar de vleugels en een gedeelte van het bovenlijf waren bedekt met klonterige stroopbruine vlekken. Stookolie.

Hij knielde bij de vogel neer die zijn kop met de korte snavel bliksemsnel in zijn richting draaide en zijn bek opensperde. Hij trok zijn hand haastig terug. De vogel bewoog zijn kop met hem mee. Meeuwenogen waren helder, helder en nietszeggend. Als het water van de zee voor hem.

Meeuwen vlogen traag over en weer, op weg naar de blikkerende zandplaten of de duinen. Onverschillig. De mantelmeeuw leek zich bewust van zijn soortgenoten boven hem. Van tijd tot tijd wierp hij zijn kop achterover en gaf met opengesperde snavel een hoge krijs.

Hij keek om zich heen en liep een stukje in de richting van het duin. Een zinloze loop als hij een doos of iets dergelijks wilde vinden. Een zinvolle als hij afstand wilde scheppen tussen zichzelf en de vogel.

Hij keek naar de meeuw in het zand. Straks zou het vloed worden. De vogel zou heen en weer gekwakt worden door de golven, langzaam maar zeker het strand worden opgeschoven, waar hij op den duur zou sterven. Het was alleen maar een kwestie van tijd.

De kop van de meeuw was prachtig in zijn felheid. Het dier kon niet aan sterven denken. Hij leefde tot hij niet meer kon. Dat was alles. En nu leefde hij nog.

Het water kwam al dichterbij. De geulen tussen de zandplaten begonnen met een gorgelend geluid vol te lopen.

Hij keek om zich heen. Een eind terug lag een stuk hout. Hij liep ernaartoe en raapte het op.

Hij deed het zo snel hij kon en met alle kracht die in hem was. De meeuw gaf geen enkel geluid. Door de kracht van de slag tuimelde hij opzij. Zijn felgele poten schokten even los van elkaar omhoog. Toen lag hij stil.

Zo eenvoudig was het. Een harde klap met een eind hout. Daar kon geen filosofie tegenop.

Een eindje van de dode vogel vandaan ging hij in het zand zitten. Hij pakte zijn boekje en schreef iets op. Het aanrollende water keerde de meeuw op zijn andere zij. De poten waren al stijf.

Ten slotte stond hij op. Hij had geen plezier gevoeld toen hij de meeuw doodsloeg, eerder een kille voldoening. Verbazing dat doden zo eenvoudig was. Dat het helemaal geen gevolgen had. De vloed kwam op, zoals altijd omstreeks deze tijd. Verder bleef alles onveranderd.

Het opdringende water dwong hem steeds dichter tegen de duinrand aan. Ten slotte klauterde hij schuin de duinen in. Dwars door het reservaat dat Vogelweide heette liep hij naar de boulevard. Het was alsof zijn hele lichaam sliep.

Ze stonden aan de witgeschilderde reling op het bovendek, Anja Lozen en Leo Wigman. Ze waren met elkaar naar bed geweest, maar niets in hun houding wees daarop. Ze stonden naast elkaar, ieder voor zich, Anja met een bruine boodschappentas, Wigman met een dunne zwarte aktetas.

Hij keek om. Het eiland met zijn houten kerkje en zijn sombere betonnen visafslag dreef langzaam van hen weg. Zijn opdracht was mislukt.

Anja keek naar de lucht. Zij kwam van het eiland. Er was ander weer op komst. Ze zei het.

Wigman knikte, zonder naar haar of naar de grauwe bewolkte hemel te kijken. Hij voelde zich zweterig en hij had hoofdpijn.

'Laten we naar beneden gaan,' zei hij.

Ze waren de enigen in de kajuit. Een tijd zaten ze zwijgend tegenover elkaar, hun tassen naast zich op de tabaksbruine latjesbanken. Hij dacht aan Van Beem, diens reactie als hij plotseling voor zijn neus zou staan.

Anja vroeg zich af hoe Fred het zou maken.

'Ik heb ook een keer mijn been gebroken,' zei Leo Wigman. 'Ik was veertien en viel met mijn fiets op een stoeprand. Krak. Ik voelde het bot breken, net boven de enkel. Het is een vervelende geschiedenis. Langdurig. Maar ernstig of erg pijnlijk is het niet.'

Ze hoorden de machine van het schip bonzen.

'We varen recht op de golven nu,' zei ze.

Hij knikte. Een kater en een woelige zee verdroegen elkaar niet al te best.

'Je praat er toch met niemand over?'

De vrouw van agent Lozen zag er verfomfaaider uit dan ooit. Ze had een grijs mantelpak aan. Hij wist wat eronder zat, maar hij was het alweer bijna vergeten.

Twee te slappe oude lichamen die hadden geprobeerd iets op te rakelen.

'Natuurlijk niet,' zei hij. 'Misschien was het ook een beetje belachelijk van ons. De drank, dat rotonderzoek, Fred die zijn been breekt. Alles bij elkaar.'

Ze knikte.

Ze zwegen een tijd.

'Bedankt voor de jas,' zei hij.

'Jij ook bedankt.'

Ze haalde een pakje brood uit haar tas. Hij schudde zijn hoofd. Bruin brood met leverworst. Dat was wel het allerlaatste.

In het hoge ziekenhuisbed leek Lozens hoofd nog smaller. Hij had een echt politiehoofd. Zonder pet bleef er niets van over. Wigman had Anja in al die tijd nog nooit zo aardig tegen haar man zien doen. Een tijdje zat hij aan het hoofdeinde van het bed. Het gips van het opgetakelde been zag nog spierwit. Hij vertelde dat er verdomde weinig te vertellen viel. Niets eigenlijk. Daarom ging hij maar terug.

'Misschien dat de oproep iets oplevert,' zei Lozen met levendige ogen.

'Laten we het hopen,' zei Wigman. Hij stond op en schudde de agent en zijn vrouw de hand. Zijn schouders hingen een beetje.

'Bedankt voor alles,' zei hij.

Hij had het gevoel beide mensen nooit van zijn leven meer terug te zien. Bij de deur van de ziekenkamer keek hij nog eenmaal om. Anja zat roerloos naast het hoge witte ziekenhuisbed. Ze hield haar handen in haar schoot gevouwen en keek hem aan.

Hij knikte en sloot de deur.

Zwijgend zette Jan Zijlstra het ontbijt op tafel en ging de hotelkamer uit.

Kennelijk was er geen nieuws over het meisje. Terwijl Arend Wijtman een broodje smeerde keek hij om zich heen. Hij probeerde de kamer en alles wat zich daarin bevond in zich op te nemen. Zijn linker wenkbrauw schoot soms in een ongecontroleerde spierbeweging omhoog. Op een stoel naast het bed stond zijn kijker. Hij kauwde langzaam, spoelde de happen met thee door. Ten slotte vonden zijn ogen rust op het blauwgrijze zeil. Hij wiste het zweet van zijn voorhoofd. Op zijn gezicht verscheen de uitdrukking van iemand die iets uit zijn hoofd probeert uit te rekenen. Of zich probeert iets te herinneren dat zich lang geleden heeft afgespeeld. Hij wendde zijn gezicht af en keek naar buiten.

De lucht was bewolkt. De neonbuizen in de houten kantoren van de afslag brandden. Hij zag wat mannen verspreid in de kantoorruimte achter bureaus zitten. Daar werden de bandjes afgeluisterd van de vissersschepen die overdag de vis opzochten. Ze hadden een modern dieptelood aan boord dat signalen uitzond. Aan de weerkaatsing van het signaal viel te beluisteren of er zich daar een school vis bevond of niet. Hij had het verhaal toevallig op een avond opgevangen. Het had iets met radiografie te maken. Hij had het niet helemaal begrepen. Ik vertrouw liever op de meeuwen. Zo had de visser die het vertelde zijn verhaal afgesloten.

Hij stond op en keek naar het diepbruine deurpaneel. Hij stelde zich voor hoe hij van de ronde tafel bij het raam naar de deur zou lopen. Hij zette zijn voeten recht voor elkaar. Alsof hij op een richel of een evenwichtsbalk liep. Zijn lippen waren dun en op elkaar geperst.

Bij de deur bleef hij staan, de deurknop in zijn hand. Hij luisterde. Toen deed hij de deur open.

Er was niemand op de gang. Onder een klein hoog raam, achter in de gang, stond op een laag tafeltje een palm in een zwarte pot. Hij keek naar de witgeschilderde nummers op de bruine gesloten deuren. Schuin tegenover hem stond een deur open.

Nu ging het net andersom. Hij stond al in kamer tien voordat hij had kunnen nadenken over de mogelijkheid om de kamer van de vrouw met het korte zwarte haar te betreden.

In de half openstaande klerenkast hing een groene rok met zwarte stippeltjes. Bladgroen. Hij was gevoerd met zwarte zijde. Zijn hand gleed eroverheen. Hij huiverde even. Op de plank erboven lagen wat truien en ondergoed. Een zwarte handtas stond slap opengezakt op een stoel naast het opengeslagen bed. Hij pakte de tas en ging op de stoel zitten.

Op een ondergrond van tabaksgruis lagen twee goudkleurige lippenstiften, een doorzichtig plastic doosje met plakjes ogenschaduw van verschillende kleur, een zwart zakkammetje, wat verfrommelde tissues en een bruine portefeuille. Hij klapte de portefeuille open.

Achter doorzichtig hard plastic zat een foto van een jongeman in tenniskostuum. In een hand hield hij een racket, in de andere een gloednieuwe tennisbal. Uitstekende jukbeenderen. Een gerichte blik met een besliste gesloten mond. Arend Wijtman probeerde de blik na te doen. Ook hij sloot zijn mond. Iemand die op het punt stond een bal keihard weg te slaan. De jongeman had blond krullend, halflang haar, zoals de mode was. Zijn benen waren nauwelijks behaard. De gymschoenen stonden in een halve spreidstand op het gravel van de tennisbaan. Arend Wijtman boog zich voorover en bestudeerde de hals boven het openstaande witte overhemd. Hij zocht verder achter de foto. Een rijbewijs, een verkreukelde tbc-verklaring, allebei op naam van Christina de Bont.

Hij legde de portefeuille terug in de tas, stond op en liep kamer tien uit.

Wat hij gedaan had, deed zich niet meer als een gebeurtenis voor. Hij ging zijn eigen kamer in en probeerde zichzelf te vertellen wat hij zo juist had meegemaakt.

Het was geen vergeten, geen gebrek aan herinneringsvermogen. Hij zag de gebeurtenissen van de afgelopen minuten fotografisch scherp voor zich. Eerst had hij de tas gepakt, toen had hij een foto bekeken. Alleen hijzelf kwam er niet meer in voor. Alsof hij een camera was geworden. Alleen nog maar een blik.

Hij sperde zijn mond open, spreidde zijn armen met gebalde vuisten, om voor te wenden dat hij slaap had. Maar hij was klaarwakker. Hij had het gevoel nooit meer slaap te zullen krijgen. Hij trok zijn jas aan, stopte het notitieboekje en zijn pen in de binnenzak en hing zijn kijker om. Het waren niet langer handelingen. Hij werd naar buiten gedreven.

Onder het leigrijze wolkendek lag het eiland er dof en beslagen bij. Het felle wit van Normans Visafslag was veranderd in vlekkerig grijs. De rij meeuwen op de rand van het platte dak, in het zonlicht ieder afzonderlijk en wit, leek met een doezelaar bewerkt. Afstanden waren moeilijk te schatten en alhoewel het nog niet regende lagen daken en straten er verzadigd van het vocht bij. De zee had een leembruine kleur. Ze zag er goor en gevaarlijk uit.

Ook de duinen en de halfkale gedrongen bomen in de reservaten waren hun heldere kleuren en contouren opeens kwijt. De dennen stonden onwrikbaar om hem heen. Zelfs berkentwijgjes bewogen niet meer.

Hij keek naar de bomen en struiken om hem heen. Hij dacht er de benamingen bij. Tak. Twijg. Berk. Maar ook dat bracht ze niet meer dichterbij. Hij sloeg met zijn hand door een pol gras. Een grijswitte wolk zaaddotjes stoof omhoog en dwarrelde verspreid weer neer. Zondagse wandelingen met vader, toen hij klein was. Poa trivialis. Zeegerst. Kamgras. Scherpgras. Vossestaart. Struisgras.

Plotseling werd hij misselijk. Het landschap kantelde. Hij moest gaan zitten.

Hij zat tegen de rand van het binnenduin. Zijn jaspanden trok hij om zijn knieën. De kijker bungelde heen en weer.

Hij keek uit over het weiland, over de buitenste straten en laantjes van het dorp.

Een man met een kaal hoofd en een bruine pilobroek stond voorovergebogen in zijn achtertuintje naar de grond te staren.

Hij telde de koeien. Zeven. Ze lagen plat en plomp op het korte gras te herkauwen. Daar, op die weg, had de man met de cameljas gelopen. Zo onopvallend mogelijk wreef hij met de rug van zijn hand over de bobbel in zijn hals. Nog drie dagen, dan moest hij terug. Hij stond op en klopte zand en graspluizen van zijn jas. Hij wilde naar de meeuw toe. De meeuw die hij had doodgeslagen.

Het eind hout lag er nog net zo, op precies dezelfde plaats waar hij het had neergegooid. Hij pakte het op, verbaasd hoe zwaar het was. De meeuw was op slag dood geweest. Hij woog het stuk hout. Geen wonder. Een stuk hout, door de zee bewerkt en afgeslepen. Nergens een spoor van bloed en veren. Hij liet het vallen. De meeuw was verdwenen. Hij keek om zich heen maar nergens was een spoor. Boven hem vlogen meeuwen. Zoveel wist hij nu wel weer van biologie. Meeuwen vraten elkaar niet op. In de verte hoorde hij het onaangename geluid van een straaljager. Het kwam niet dichterbij.

Hij had de meeuw willen begraven. Iets of iemand was hem voor geweest. Kinderen. Of de zwarte bouvier. Met zijn kijker zocht hij het strand en de duinen af. Het zand en het helmgras begonnen te golven.

Hij liet de kijker zakken en wreef door zijn ogen. Achter hem lag een volkomen gladde kalme zee.

Jan Zijlstra verbaasde zich er iedere keer weer over. Ook mensen waren kennelijk onderworpen aan natuurwetten waar ze onbewust aan gehoorzaamden. Zijn zaak zat stampvol. Zelfs de vrouwen, de boodschappentassen bij zich, stapten binnen voor een kop koffie. Er hing een scherpe, aangename geur van sigarenrook. Van hem mocht het tot Samhain zo blijven. Hier op het eiland noemden ze die eenendertigste oktober altijd bij de oude Keltische naam. Samhain. Op het vasteland noemden ze het Allerheiligen. Daar was het een katholieke feestdag, hier iets heel anders. Al was het hele eiland officieel dan protestant, Samhain was een heidens feest met gebruiken waarvan niemand meer de oorsprong of betekenis kende. Het vreemde was dat de mooie zomerse herfstdagen van de afgelopen week 'Allerheiligenzomer' werden genoemd en niet 'Samhainzomer'. Dat zou consequenter geweest zijn.

Omdat het zo druk was, begreep hij niet meteen dat de man met het grijze diplomatenkoffertje en de donkerblauwe regenjas een kamer wilde en geen borrel. Of liever, eerst een kamer en dan een borrel, zoals hij lachend zei. Zijlstra schoof hem een hotelformuliertje toe. De man haalde een goudkleurige vulpen te voorschijn en schroefde de dop eraf. Hij had een hoekig duidelijk handschrift. Terwijl hij schreef knoopte hij met zijn andere hand zijn jas los en zocht in de borstzak van zijn lichtblauwe spijkerjasje naar sigaretten. Al schrijvend hield hij Zijlstra het pakje voor. Het was een merk dat de hoteleigenaar niet kende. Hij schudde zijn hoofd.

'Lucifers?'

Zijlstra hield hem zijn aansteker voor. Er werd om hem geroepen. Hij pakte de jeneverfles uit de koeler en verontschuldigde zich.

'Kamer zeven,' zei hij en wees op het sleutelbord.

De jongeman keek even van onder zijn blonde krullerige haar naar hem op en knikte.

Toen Zijlstra achter de bar terugkeerde lag alleen het ingevulde kaartje er. De jongeman en het grijze diplomatenkoffertje waren verdwenen. Hij controleerde het sleutelbord. Sleutel zeven hing er niet meer. Hij las de gegevens op het formulier. De Bont, P. Expert. Ook de gast van kamer tien, de jonge vrouw met het zwarte haar, heette De Bont. Hij legde het formulier boven op het sleutelbord. Zulke dingen kwamen voor, mensen met dezelfde achternaam. Hij herinnerde zich een zomer met vijf Hoeksema's. Toeval. Het was een hele uitzoekerij geweest met de post.

Toen Arend Wijtman de deur van de gelagkamer openduwde botste hij tegen de vrouw van kamer tien op. Even keek hij haar recht in het gezicht. Ze hield de deur voor hem open, leek zich toen te bedenken en liep achter hem aan de gelagkamer weer in. Arend Wijtman bleef staan.

Weer leek de afstand van de buitendeur tot de hotelingang hem onoverbrugbaar.

Jan Zijlstra had het druk, maar toch groette hij toen zijn gasten binnenkwamen. Dat was een tweede gewoonte. Zo gauw hij de deur hoorde keek hij op, waar hij zich ook bevond. Hij had goede oren. Met het lege druipende dienblad liep hij terug naar de bar. Hij pakte de sleutels van het bord en legde ze op een bierviltje. De jonge vrouw die ingeschreven stond als Chr. de Bont zag er sportief en gezond uit in haar zwarte lange broek en grijze wollen trui.

Hij draaide zich om en pakte het hotelformulier. 'Dat is

ook toevallig,' zei hij. 'We hebben zo net een nieuwe gast gekregen. Ook een De Bont.'

Alsof de nieuwe gast achter het glas van de hoteldeur had staan luisteren, kwam hij nu de gelagkamer binnen.

'Dat is hem,' zei Jan Zijlstra.

Jan Zijlstra overzag de situatie in één ogenblik. In het hotelvak deed je een hoop mensenkennis op. Die twee kenden elkaar.

De man in het lichtblauwe spijkerpak begon het eerst te lopen. Bijna op hetzelfde ogenblik dat de man van kamer drie, zijn sleutel in de hand geklemd, een beetje krom in de schouders, in een boog op de hoteldeur afliep. Een beetje krom en in een boogje, alsof hij zichzelf onzichtbaar wilde maken.

Jan Zijlstra zat al meer dan dertig jaar in het hotelvak en daarom zag hij dat de vrouw met het zwarte haar en de man die hij net had ingeschreven als P. de Bont, getrouwd waren of waren geweest. De jongeman in het spijkerpak had aan enkele half afgemaakte gebaren genoeg om de vrouw duidelijk te maken dat hij met haar wilde spreken, onder vier ogen. De juffrouw, die dus misschien toch een mevrouw was of was geweest, draaide Jan Zijlstra abrupt de rug toe en liep met voor haar iets te grote passen naar de hotelingang. Het bezoek overviel haar, dat was duidelijk. De jongeman volgde haar in een iets te ontspannen loop. Zo dadelijk zou hij zijn handen in zijn zakken stoppen. Hij leek zeker van zijn zaak. Problemen, dacht Jan Zijlstra, zoveel is duidelijk.

De vrouw had naar de jongeman, die hij herkende als de tennisspeler van de foto, gekeken als een konijn naar de lichtbak. Geen vreugde, geen woede, geen verbazing zelfs. Alleen maar weerloos; lijkbleek en weerloos.

Hij deed de deur aan de binnenkant op slot en ging op de grond voor het bed zitten. Misschien was het beter als hij tegen de dingen opkeek. Hij sloot zijn ogen en bleef doodstil zitten. Hij haalde heel voorzichtig adem. Hij voelde hoe er heel langzaam weer enige ruimte voor hem vrijkwam in de kamer. Hij deed zijn ogen open. En ik leef verder, dacht hij.

Als hij vroeger hoge koorts had zag hij in het behang naast zijn bed altijd poorten en gangen waardoor hij zou kunnen ontsnappen als het te erg zou worden. Nu zag hij alles helder en afgebakend. Gesloten.

Hij pakte de kijker en hield hem omgekeerd voor zijn ogen. Hij moest de kijker weer laten zakken omdat hij jeuk onder zijn oksels kreeg en toen overal, over zijn hele lichaam. Hij deed zijn jas uit, legde de kijker op bed en begon zich te krabben. Hij bleef krabben, ook toen de jeukaanval allang voorbij was. De huid op zijn armen zag rood en streperig. Ten slotte moest hij ophouden. Het deed te veel pijn. Ook dit is weer voorbij, dacht hij. Hoe ben ik ooit de tijd doorgekomen, mijn leven.

Hij stond op en liep de badkamer in. Op zijn wangen kwam de donkere schaduw van een baard op. Hij pakte zijn scheerapparaat en liep ermee de kamer in. Hij liep naar het witte plastic prullenmandje naast de deur en keek erin. Leeg. Hij liep naar de klerenkast, bukte zich en pakte een krant die onder in de kast lag. Hij propte hem in elkaar, gooide hem in de prullenmand en stopte toen zijn scheerapparaat eronder. Hij haalde zijn koffer onder het bed vandaan, legde hem op bed en zocht naar zijn scheerspiegel.

Hij hield de ronde vergrotende spiegel voor zijn gezicht terwijl hij langzaam door de kamer liep, met een hand voor zich uit tastend om niet overal tegen op te botsen. Hij deed het gezicht na van iemand die zoekt. Iemand die vergeten is waar hij iets heeft neergelegd. Ik ben nu eenmaal verstrooid, dacht hij. Hij krabde zich op zijn hoofd. Waar is dat ding nu, dacht hij krampachtig terwijl hij zijn gezichtsuitdrukking bestudeerde.

Het was alsof zijn gezicht het begaf. Hij zakte door zijn knieën en dacht: ik moet er vroeger toch ook geweest zijn.

Misschien moest hij dingen van vroeger opschrijven. Dat hij dan weer bij ze zou gaan horen.

Hij stond op, pakte zijn notitieboekje en ging aan de ronde tafel zitten. Met de pen al in zijn hand stond hij weer op en sloot de gordijnen. Het leek alsof het ieder ogenblik kon gaan regenen.

Hij staarde naar het witte gelinieerde papier en daarna naar de pen in zijn hand. Iets opschrijven. Hij schudde zijn hoofd. Al was het maar een mop. Het grappigste wat hij ooit gezegd had (tegen een buitenlander die hem in de hoofdstad de weg vroeg): 'Ik ben zelf ook een buitenlander.' 'Het ontglipte me,' had hij eraan toegevoegd toen hij de anekdote op kantoor vertelde. Ze hadden erom gelachen.

'Buitenlander', 'Lachen', schreef hij op.

Hij keek naar de woorden. Niet goed, dacht hij. Iets anders. Vlug. Hij begon weer te schrijven.

'Ik heb eens een film over de Sahara gezien.'

Er kwamen geen mensen in de film voor. Alleen maar zand, door erosie afgesleten steenmassa's en wat kamelen en kleine bruine muizen. Hij had in het donker zitten huilen van geluk. Collega's had hij aangespoord de film ook te gaan zien. Ze hadden hem niet begrepen. Nog een keer schreef hij het woord Sahara op.

'Of mijn vogelplaten.'

'Amazonegebied.'

Thuis had hij een grammofoonplaat met vogelgeluiden uit het Amazonegebied. Dan deed hij het licht uit en lag op zijn rug te luisteren naar de vreemde geluiden. Donker getok en licht getsjirp. Soms een rauwe kreet, alsof iemand van achteren onverhoeds werd aangevallen. Hij knikte en legde zijn pen neer. Dit leek op een echte herinnering. Hij sloot zijn ogen. Hij hoorde het geluid van de vogels in zich opkomen. Echt. Heel omzichtig kwam hij overeind, sloop naar het lichtknopje bij de deur en deed het licht uit. Hij ging op bed liggen en luisterde. Opnieuw deed hij zijn ogen dicht.

Na een tijd begonnen de vogelgeluiden te trillen, van hoogte te veranderen, alsof zijn gehoor het begaf. Hij ademde een paar keer diep uit, maar het geluid van de vogels kwam niet meer terug.

Hij liep naar de badkamer en pakte een plat witkartonnen doosje.

'Soms zult u momenten krijgen dat alles u zinloos lijkt. Dat het bestaan u ondraaglijk voorkomt. Dan kunt u er eentje nemen.'

De pilletjes waren gifgroen van kleur. Het bestaan kwam Arend Wijtman niet ondraaglijk voor. Nee, zelfs dat niet meer. Daarom nam hij het hele doosje.

Hij stond voor de badkamerspiegel te kijken hoe hij de pillen met een glas water innam.

Het licht van het neonbuis je boven de spiegel was zo schel dat hij een ogenblik zijn handen voor zijn ogen sloeg. Hij draaide zich om en keek de hotelkamer in. Een zwarte koffer lag op een houten kofferrek naast een half openstaande klerenkast. Er was geen plaats meer voor hem. Hij had een meeuw doodgeslagen maar er was niemand te vinden die hem wilde doden. Zelfs dat niet, dacht hij. Hij gleed de hotelkamer binnen, trok zijn jas aan en hing zijn kijker om zijn hals. Op een schoolreisje had hij eens in een kerk gestaan en naar de hoge gebrandschilderde ramen gekeken waardoor het licht in gekleurde vlekken voor hem op de marmeren grafstenen viel. Hij had zich aan een kerkbank vast moeten houden om niet flauw te vallen. Buiten had hij een splinter uit zijn hand getrokken.

Hij sloot zijn kamer af en hing de sleutel aan het sleutelbord. Jan Zijlstra stond bij het biljart met een jongeman te praten. Het café was vol. Hij probeerde de vrouw met het zwarte haar tussen de mensen te vinden, maar hij zag haar niet.

Over een goed halfuur zou het helemaal donker zijn. Aan zijn kijker zou hij niet veel hebben.

Boven de drie betonnen laadplateaus aan de achterkant van Normans Visafslag brandden neonkappen die een zwak oranje licht verspreidden. Een van de geribde plaatijzeren deuren hing half naar boven gekanteld open. In de houten kantoortjes gingen de neonbuizen flikkerend uit. Een man in een lichte overall zat roerloos met zijn handen op het stuur van een vorkheftruc de avond in te staren. Vanuit de afslag klonk de jingle van een reclameboodschap.

Arend Wijtman leunde tegen een lantarenpaal. Vier meeuwen wiekten van de kade op en zeilden twee aan twee de zee op. Het was vochtig en stil. Geuren van vis en machineolie. Om hem heen begon het donker te worden. Nog even en hij zou zijn kijker niet meer kunnen gebruiken. Hij hoorde het geluid van een scheepsmotor. Nu weer leek het van links, dan weer van rechts te komen.

Een groepje kinderen stond in het gras aan de kant van de weg. De kinderen stonden rond een oude ijzeren wasteil vol water. Het waren schoolkinderen, warm aangekleed met mutsen en wanten. Ze keken een beetje dom en betrapt naar hem op. Hij deed twee stappen in hun richting. De kinderen bleven staan en keken hem aan. Hij staarde in de teil. Op de bodem lagen twee appels en een munt.

Hij liep door en keek over zijn schouder. De kinderen zaten nu op hun knieën rond de teil. Een jongetje met kort rood haar hield met één hand zijn neus dicht en dook toen plotseling met zijn hoofd voorover in de teil. Druipend en met een van de appels tussen zijn tanden geklemd kwam hij weer overeind. De andere kinderen lachten en klapten in hun handen.

Zo nu en dan drong er een geluid door de wollige stilte heen. Een bijl die in een blok hout werd geslagen. Iets dat van een ijzeren dak af ratelde en daarna tot stilstand kwam of viel. Losgesneden, uitgebeend, zo klonk het hem in de oren.

Hij bleef bij een berkenboom staan, keek naar het handjevol slap afhangende bladeren aan een over de weg hangende tak. Hij had de neiging ze te gaan tellen.

Even voorbij de zeilboten, waar het tweede havenhoofd begon, groeiden tussen een hoop stenen een paar stengels hoog opgeschoten pluimgras. Hij keek naar het rondzwenkende licht van de vuurtoren dat hij van hieruit tussen de boomstammen kon zien.

De stenen van de Randweg lagen in horizontale lichtgebogen rijen voor hem. Hij bukte zich, raapte een puntig steentje voor zijn voeten op. Hij rook eraan en gooide het in de berm. Hij stak de weg over naar het okeren wachthuisje. Hij had het gevoel dat hij licht slingerde.

Hier begonnen de rails van het vroegere spoorlijntje. Het stootblok was lang geleden weggehaald. Daar groeide nu kort vergeeld gras en wat weegbree uit het zand. Hij ging het huisje binnen. De houten banken aan weerskanten lagen vol blikjes en sigarettenpeuken. Hij stapte het wachthok bijna onmiddellijk weer uit.

Twee jongetjes op choppers kwamen hem achterop en passeerden hem aan weerskanten, schreeuwend en gillend, met een brede zwiep van hun achterwiel. Hij liep midden op de weg. Hij wilde de jongetjes naroepen, maar ze waren al om de bocht van de Randweg verdwenen. Hij had ze willen roepen ja, hij had de stilte willen verbreken. Ik had ze mijn kijker kunnen geven, dacht hij. Hij pakte de kijker met beide handen vast, trok eraan. De leren riem sneed even in zijn hals.

De spieren aan zijn slapen trilden. Zijn huid zat om hem heen, zo strak dat hij er stram van liep, met kleine voorzichtige passen. De neiging om te vallen. Iets waar je je aan vast kon houden als je viel. Hij keek om zich heen, zijn handen tastend voor zich uit houdend.

Hij belandde nu zelf in de bocht van de Randweg, waar de klinkers overgingen in een zandpad. Over die grens heen stappen. Hij trok zijn knieën op. Zijn zwarte schoenen raakten bestoft. Hij voelde hoe dun zijn schoenzolen waren.

Weer bukte hij zich, pakte een steentje op en gooide het snel over zijn schouder. Hij knipperde met zijn ogen. Geen geluid. Achter hem was al niets meer. Vanaf dat ogenblik keek hij niet meer achterom.

Linksaf liep een weg terug naar het dorp. Hij volgde de Randweg en week toen opeens abrupt naar links, tot tussen een groepje breed uitgegroeide dennen. Zijn blik was op de overkant van de weg gericht, op een werf tussen twee plaatijzeren botenloodsen.

Op twee houten stutspanten stond de MA 17; staalblauw onderschip, mosgroene kajuit op het achterdek waartegen twee zilverblikkerende geraamtes met wijdgespreide armen en zwarte vingerkootjes hem stonden op te wachten.

Hij brak snel door zwiepende dennentakken en struiken

in de richting van het weiland. Hij struikelde en knikte door zijn knieën. Zijn voeten zakten weg in de sponzige bodem van een greppel. Snel krabbelde hij op de kant. Op zijn hurken tussen de laatste rij bomen, de kijker heen en weer zwaaiend voor zijn borst, keek hij hijgend uit over het donkerende weiland. Nergens koeien. De duinen erachter werden door het stijve helmgras in regelmatige repen verdeeld. Er hing een muisgrijs waas tussen de duintoppen.

Hij begon het weiland over te steken. Zuring had zijn bruinrode kleur al bijna verloren. Hij rukte een stengel uit de grond en vermaalde de droge roodbruine zaadkorreltjes tussen zijn vingers. Hij voelde ze nauwelijks, moest heel hard knijpen. Hij liep verder, licht gebogen en snel. De smalle sloot aan het andere eind van het weiland sprong hij over met de kijker los in zijn hand.

Hij ging voorzichtig zitten. Helemaal alleen achter de eerste duinenrij, uit het gezicht. Toch zat hij nauw. Hij ging verzitten en kwam nog nauwer te zitten. De duisternis steeg tussen de zandheuvels omhoog. Hij zette de kijker achterstevoren aan zijn ogen en keek naar het reservaat. In de kunstmatige verte van de lenzen spatte een groene bol in een dalende regen van witte vonken uiteen. Hij luisterde. Door een nauwe sluis wrong zich het geblaf van een hond.

Hij begon heen en weer te wiegen, stak zijn hoofd tussen zijn knieën. Hij slikte een paar keer nadrukkelijk. De tumor klopte in zijn hals. Hij stond op, wankelde even.

In de volgende duinpan lag een hoop blauwgrijs geaderde keien naast een half ingestorte kuil. Iemand die stenen had verzameld en ze tot aan een kuil had gesleept.

Hij liet zich op zijn knieën vallen en propte de zakken van zijn jas tot boven aan toe vol, met een openhangende kwijlende mond.

Op handen en voeten, soms hijgend en wegglijdend in

het zand, kroop hij tussen de distels en het helmgras naar boven. De lenzen van zijn kijker zaten dichtgekoekt met zand. Op het laatste duin leek het even alsof hij blind werd. In een helwit waas voelde hij hoe zijn rechterhand zijn horloge van zijn pols gespte en het naast de kijker in het zand legde.

Het geraas van het water was zo oorverdovend dat het leek alsof hij er al middenin stond. De stenen in de zakken van zijn jas trokken hem als aan een riem naar beneden, naar de smalle strook die er om deze tijd nog van het strand restte.

Zo bereikte hij de waterlijn. Zijn mond ging wagenwijd open. Al na een paar stappen werd het diep.

Het bericht over de dood van Arend Wijtman bereikte Leo Wigman pas de volgende avond. Van Beem zag onmiddellijk een verband met het verdwenen meisje, de dochter van de timmerman.

Wigman was alleen thuis. Zijn vrouw was een paar dagen naar zijn moeder, die last van trombose in haar been had.

Hij zat voor de resten van een kant-en-klaarmaaltijd toen Van Beem met zijn opgewonden stem had opgebeld.

'Dat wordt dan morgenmiddag,' zei Wigman terwijl hij de laatste hap van de stroeve andijvie met een slok bier wegspoelde. Van Beem ijlde nog een tijd door en stond erop dat hij het telefoonnummer van de burgemeester noteerde, die 'dag en nacht voor dit geval bereikbaar blijft'. Krijg het heen – en – weer, dacht Wigman en legde neer. Zijn linkeroog gloeide.

Het regende aan een stuk door en er stond een harde gure wind. Voor de zekerheid nam hij een tablet tegen zeeziekte in. Op de boot werd hij slaperig. Hij vouwde zijn jas in vieren, legde hem voor zich op tafel en probeerde te slapen.

Hij schrok wakker van een korte stoot op de scheepstoeter. Hij trok zijn jas aan, zette zijn hoed op en liep gapend naar het dek. De eerste jaren zou hij geen behoefte meer hebben aan bootreisjes. De boot was al voorbij de vuurtoren en draaide langzaam in de richting van de aanlegsteiger.

Vis, dacht hij eerst, de in water oplichtende schubben

van dode vissen, maar toen de boot dichterbij kwam zag hij wat het was.

Het zilverpapier had hier en daar losgelaten, de zwarte beschilderde bogen van de borstkas waren wat doorgelopen, maar de schedel van het drijvende geraamte was nog aardig intact en grijnsde hem tegemoet. Maar goed dat Van Beem niet mee is, dacht hij. Die zou er vast een aanwijzing in gezien hebben. Een lustmoordenaar die in zijn vrije tijd geraamtes maakt. Zoiets.

Om halfzes was hij bij de burgemeester. De man was van de zenuwen van pijp op sigaretten overgestapt en stelde zich opnieuw voor. De Bree is de naam. Leo Wigman noemde de zijne niet. Hij trok zijn nat geworden jas uit en legde hem over een van de leren raadszetels. Even keek hij door de hoge ramen naar de regen buiten. Hij bladerde het rapport van de burgemeester door, dat deze bij afwezigheid van de enige agent van het eiland zelf had opgesteld.

Wijtman was om zeven uur 's ochtends gevonden door de heer Johan Ris, makelaar. Een kijker en een horloge, door de hoteleigenaar J. Zijlstra als eigendommen van het slachtoffer geïdentificeerd, waren enkele kilometers van de plek af op een duin gevonden.

'Slachtoffer?'

Wigman keek van het dubbele vel papier op.

'U vindt het toch wel goed als ik zo nu en dan een wijziging in de formulering aanbreng,' zei hij.

'Welke bijvoorbeeld,' zei de burgemeester en leunde achterover in zijn stoel.

'Dit bijvoorbeeld,' zei Wigman. 'Slachtoffer. Waarvan? De man is niet vermoord. Niet bij mijn weten tenminste. Wel?'

De burgemeester zweeg. Wigman streepte het woord slachtoffer door en verving het door overledene. Hij las verder.

Volgens Zijlstra had Wijtman om even over vijven het hotel verlaten. Daarna had niemand hem meer gezien. Het lijk was 's middags met een helikopter van het eiland gehaald. Als bijzonderheid werd nog vermeld dat het slachtoffer – weer streepte hij slachtoffer door en zette er overledene boven – niet spreken kon en communiceerde door middel van geschreven mededelingen in een klein zwart notitieboekje. Dit boekje was niet gevonden. Bijzonderheid twee betrof de jas van de overledene. De zakken van zijn jas hadden vol stenen gezeten. De man had zelfmoord willen plegen. Dat was hem gelukt.

'Wat denkt u ervan,' vroeg de burgemeester en stak nog een sigaret op.

Wigman liep naar een bureau in de hoek van de raadskamer en draaide een nummer.

'Wigman. Van Beem graag.'

Hij werd doorverbonden.

'Weet je al iets?'

Hij luisterde, legde toen neer.

'Hij had nog drieëntwintig slaaptabletten ingenomen ook,' zei hij tegen de burgemeester. 'Het is geen dodelijke dosis maar samen met zo'n grote slok water wel.'

'Dus toch slachtoffer,' zei de burgemeester.

'Een beetje dan,' zei Wigman.

'Gaat u nu weer terug?'

'Nee,' zei de rechercheur, 'ik blijf.'

Hij wees op de ramen.

'Dat is pas sinds gisteren zo,' zei de burgemeester.

Hij zei het alsof hij ook verantwoordelijk was voor het weer op het eiland.

'Ik ga meneer Ris eens opzoeken,' zei Wigman. 'Moet ik hem de groeten doen?'

De burgemeester schudde zijn hoofd. Hij had een dunne gesloten mond. Geen gevoel voor humor.

Jan Zijlstra was kroketten aan het bakken toen de rechercheur binnenkwam. De twee mannen kenden elkaar. Zijlstra had de komst van Wigman verwacht. Daarom bleef hij nog even bij het fornuis staan, tot de kroketten goed waren, tilde ze toen uit de borrelende pan met olie en veegde zijn handen aan een blauwgeruit schort af. Wigman stond in de deuropening van de keuken naar hem te kijken. Hij snoof.

Zijlstra draaide zich om. De mannen schudden elkaar de hand.

'Trek?'

'Waarom niet,' zei Wigman.

Zijlstra wikkelde een kroket in een papieren servetje en gaf het kroketje zo aan de rechercheur.

Wigman nam een hap. De kroket was van binnen zo heet dat hij geruime tijd niet kon praten. Daarom liep het gesprek misschien anders dan hij zich had voorgesteld. Zijlstra ging aan de keukentafel zitten. Naast hem stond een blad met uitgeholde pompoenen. Er staken half afgebrande kaarsen uit. De buitenkant van de pompoenen was beschilderd met onhandig grijnzende gezichten met een zwarte neus, ronde rode ogen en een grote openstaande mond.

'Dat is nog van Samhain,' zei Zijlstra.

'Samhain,' vroeg de rechercheur. 'Wat is dat?'

'Zo noemen wij Allerheiligen hier. 31 oktober. Het is een heel oud feest. Het heeft niet veel meer om het lijf. Meer iets voor jongelui. Vuurwerk, brandjes stoken. Ze hebben de oude rokerij in brand gestoken. Weet u waar die staat, de oude bokkingrokerij?'

Wigman knikte.

'U bent op het stadhuis geweest,' zei hij.

Jan Zijlstra knikte.

'Ik moest het slachtoffer identificeren.'

'De overledene,' zei Wigman met zijn mond vol.

'Wat?' vroeg Zijlstra. Wigman schudde zijn hoofd en

slikte de fijngekauwde hap door. Hij legde de rest van het kroketje op tafel en ging ook zitten.

'Niet lekker?'

'Nee, alleen maar erg heet,' zei Wigman.

Het lijk had op een tafel in de koffiekamer naast de raadszaal gelegen. De tafel was iets te kort voor dat doel, zodat de zwarte schoenen onder het laken over de tafelrand staken. Er druppelde aan alle kanten water van onder het opbollende laken op de stenen tegels.

De tong stak dik en opgezwollen aan een kant uit de mond. De ogen stonden wijdopen. De pupillen waren naar boven weggedraaid. Hij had geknikt en de burgemeester had het laken weer over dat afschuwelijke lege gezicht gelegd. Ook de kijker en het horloge had hij herkend. Hij hoorde dat geluid nog steeds in zijn oren, dat gedruppel van water op de stenen vloer van de koffiekamer. Kon de rechercheur zich dat voorstellen?

Wigman knikte.

De kroket was nu zover afgekoeld dat hij hem rustig verder op kon eten. De een nam een sigaret, de ander at. Zijlstra propte een papieren servetje in elkaar. Wigman keek ernaar. De handen van de hoteleigenaar zagen er ruw en onverzorgd uit. Kennelijk had hij geen vrouw.

'Is u nooit iets aan meneer Wijtman opgevallen; iets eigenaardigs, bedoel ik?'

Die vraag had de rechercheur al eens eerder gesteld.

'Als je buiten beschouwing laat dat hij niet sprak, nee,' zei Zijlstra.

Hij drukte zich een beetje eigenaardig uit. Misschien waren het zenuwen. Niemand voelde zich op zijn gemak als hij met iemand van de politie sprak. Ieder gesprek kreeg het karakter van een verhoor, onvermijdelijk bijna.

'U bedoelt waarschijnlijk dat hij niet praten kon?'

Zijlstra knikte.

Leo Wigman slikte het laatste restje van de kroket door.

'Goeie kroketten,' zei hij.
'Een colaatje?'
Zijlstra maakte aanstalten om op te staan.
Wigman bedankte. 'Jammer van dat boekje,' zei hij.
'Hij had het altijd bij zich,' zei Zijlstra. 'Ook toen, denk ik.'
'Dat denk ik ook,' zei Wigman. 'Herinnert u zich misschien waar hij dat boekje altijd stopte?'
'In de binnenzak van zijn jas.'
'Altijd?'
'Daar haalde hij het tenminste steeds uit te voorschijn.'
Wigman zweeg even. 'Er is natuurlijk niemand in die kamer geweest, behalve u?'
'Nee,' zei Jan Zijlstra. 'Ik ben anderhalf uur op het stadhuis geweest. In die tijd heeft mijn nichtje op de zaak gepast en die heeft niemand de sleutel gegeven.'
'Zo lang?' vroeg Wigman.
'Meneer De Bree wilde alles weten. Hij schreef alles heel precies op.'
Wigman glimlachte. Altijd en eeuwig wilde iedereen voor politieagent spelen. Hij stond op. 'Ik wil toch de kamer even zien,' zei hij.
'Ik heb hem al schoongemaakt,' zei Zijlstra. 'Ik hoop niet dat dat erg is.'
'Het is zuiver een formaliteit,' zei de rechercheur.
Zijlstra liep voor hem dc trap op.
'Doet u alles zelf hier?'
'Buiten het seizoen wel. In het seizoen heb ik hulp.'
'Van uw nichtje?'
'Hoe weet u dat?'
'Dat ligt toch voor de hand?'
Zijlstra opende met de moedersleutel van het hotel de deur van kamer drie. Hij deed het licht aan.
Wigman ging naar binnen. Hij draaide zich om.
'Ik wil even rondneuzen,' zei hij.

Zijlstra knikte. Hij begreep het en sloot de deur.

De rechercheur ging op de rand van het bed zitten. Op het kofferrek lag de koffer van de dode. Hij wist dat hij er niets in zou vinden. Toch stond hij op om erin te kijken.

Onderhemden, truien, een broek, een paar bruine schoenen, toiletgerei. Dat was nu zijn vak. In een koffer van een vreemde snuffelen. Opmerken dat de man geen overhemden bij zich had, alleen maar truien.

Geen boekje in ieder geval. Wat zou hij erin hebben opgeschreven? Vragen aan mensen waarschijnlijk. Dingen die hij wilde kopen. Of wees hij die aan?

Hij stond op. Iedereen had toch het recht zich te verzuipen. Zeker als je niet praten kon.

Verveeld keek hij in de lege klerenkast. Hangertjes van verschillend model en formaat. Uitgespreide kranten op de bodem. Onder het bed pas gedweild glimmend zeil. Naast het hoofdeinde van het bed was een deur.

Hij ging de badkamer in, deed het licht aan en trok de wc door. Hij keek naar de langzaam weer omhoogkomende waterspiegel in de closetpot. Niets dat op een verstopping wees.

Hij liep de hotelkamer in en pakte de telefoon. Hij draaide een nul en toen het privé-nummer van Van Beem.

De veronderstelling van de rechercheur klopte, maar niet helemaal. De man had bij een importeur van buitenlandse boeken gewerkt. Zijn chef, ene Paalman, had verklaard niets van een spraakgebrek of iets dergelijks af te weten. Wijtman had heel plotseling vrijaf genomen. Hij had het wel eigenaardig gevonden en het kwam ook niet zo best uit, maar hij had nog vakantie te goed. Hij was vorig jaar niet geweest.

'Hij was niet getrouwd?' vroeg Wigman in de hoorn.

'Nooit geweest ook,' zei Van Beem.

'Waarom gaat iemand eind oktober naar een eiland, speelt daar voor stommetje en loopt vervolgens met zijn buik vol slaaptabletten de zee in?'

Wigman praatte alsof hij in zichzelf sprak.

'Je moet toegeven dat het vreemd is,' zei Van Beem aan de andere kant van de lijn.

'Als hij dat meisje vermoord zou hebben niet natuurlijk,' zei Wigman.

'Precies,' zei zijn chef. 'Dan niet. Vier dagen nadat hij op het eiland gekomen is, is het meisje verdwenen.'

Even was het stil.

'Het regent hier,' zei Wigman.

'Hier ook,' zei Van Beem. 'Heb je dat boekje al?'

'Z'n jas,' zei Wigman opeens gehaast. 'Hoe diep was de binnenzak van zijn jas. Hoe diep en hoe breed. Dat wil ik precies van je weten.'

'Ik zal het voor je na laten kijken.'

Er klonk bewondering in Van Beems stem door. Bewondering en onbegrip dat hij niet wilde laten merken.

'Waar kan ik je terugbellen?'

Wigman las het nummer op het midden van de draaischijf voor. Hij zei niet dat dat het nummer van een hotel was.

Hij draaide de nul.

Hij bleef op de kamer. En dan nog wat. Kon Zijlstra bij benadering zeggen hoe lang en hoe breed dat notitieboekje van Wijtman was?

'Dat weet ik precies,' antwoordde de eigenaar. 'Ik heb een kasboekje dat even groot is. Toevallig weet ik dat precies, omdat hij een keer hier aan de bar stond en dat boekje van mij er ook lag. Ik herinner me dat het me toen opviel dat ze even groot waren. Even lang en even breed.'

Wigman ging naar beneden. Hij bestelde een cola.

'En doe er maar een jonge in,' zei hij.

Hij vroeg of hij het kasboekje even mocht zien. Zijlstra had het al klaar liggen.

Hij bladerde erin.

Een groen boekje vol cijfers. De kleine kas. Aan de binnenkant van het boekje stond onder het merk van de papierfabriek ook het formaat, 8 x 13 cm.

'Weet u zeker dat dat andere boekje even groot was?'

Zijlstra knikte.

'Hier lagen ze, naast elkaar. Exact hetzelfde formaat.'

Leo Wigman lag in bad toen de telefoon ging. Hij hees zich moeizaam uit de badkuip en sloeg een handdoek om.

'Ik dacht dat je bij Lozen zat,' zei Van Beem.

'Nee,' zei Wigman en likte een druppel van zijn bovenlip. 'Ik zit hier. Denk je dat ik bij een vrouw alleen overnacht. En dan nog wel de vrouw van een agent. Je moest beter weten.'

Voordat Van Beem iets kon antwoorden, zei hij: 'Wat is het formaat van die binnenzak?'

Hij luisterde en knikte.

'Daarom heb ik een hotel genomen. Begrijp je het niet? Bij Lozen hebben ze alleen een douche.'

Van Beem begreep het nog steeds niet. Hij had ook niet in de gaten dat Wigman hem zat te voeren.

'Ik moet iets uitproberen,' zei Wigman. 'Nu, meteen. Ik bel je wel terug.'

Hij legde neer, stond op en begon zich met de handdoek af te rossen. Hotel Van Dam stond er in de rand. Witte letters op een witte badhanddoek. Hij grinnikte in zichzelf. Van Beem zou het vast een prachtverhaal vinden.

Hoe hij een boekje van 8 x 13 cm in een jas met een binnenzak van 8 x 13 cm had gepropt en de jas daarna gedurende een kwartier met alle macht door een vol bad heen en weer had gesleurd. Een prima verhaal.

Alleen hoefde hij het experiment niet uit te voeren. Hij wist zo wel dat een boekje van 8 x 13 cm zelfs bij de ruwste zee nog in die binnenzak had moeten blijven zitten.

Hij liep naar de badkamer en trok de stop uit het bad. Het water liep gorgelend en kolkend weg. Leo Wigman voelde zich behaaglijk. Er was er maar één die het boekje kon hebben.

Te dik. Dat was het eerste wat Wigman dacht toen de makelaar de deur van zijn bungalow opende. Een zwarte bouvier probeerde zich langs de politieman naar buiten te wringen. Wigman graaide even door het korte krullende haar van de hond.

Ris droeg een donkerblauw T-shirt dat zijn omvang nog benadrukte. Wigman stelde zich voor en Ris vroeg hem binnen te komen. Hij bood Wigman een glas cognac aan. Toen deze dit afsloeg, schonk de makelaar zichzelf een glas in. Zijn hand trilde.

Veel mensen gedroegen zich wat eigenaardig in het bijzijn van de politie. Dat was Wigman gewend. Daarom trok hij er verder ook geen conclusies uit.

De rechercheur noteerde het verhaal van de makelaar in een blauw opschrijfboekje. Een heleboel zaken stonden onnauwkeurig in het rapport van de burgemeester. Dat vermoedde Wigman al toen hij het las.

De makelaar maakte dagelijks lange wandelingen met zijn hond. Hij liet de hond min of meer de richting van de wandeling bepalen en volgde gelaten de grillige routes die het beest voor hem uitstippelde. De makelaar rentenierde. Hij had alle tijd om achter een hond aan te lopen.

De bouvier had wat in Duinzicht rondgescharreld, zijn behoefte gedaan en was toen plotseling vastberaden gaan lopen.

Vastberaden. Kon je dat van een hond zeggen?

Ris vond van wel. Hij keek de rechercheur aan. Hij begreep niet goed wat de politieman bedoelde.

Ris bedoelde waarschijnlijk dat de hond in een bepaalde

lijn liep, ongeveer zoals een mens loopt die duidelijk een doel voor ogen heeft?

De makelaar knikte. Ja, dat bedoelde hij. Hij schonk zich nog eens in. Hij had kleine ogen, die hij even dichtkneep als hij een teugje cognac nam. Dan trokken zijn borstelige wenkbrauwen naar elkaar.

De hond was dwars door de duinen getrokken. Daar had Ris ook voor het eerst voetstappen gezien. Even over de top van het laatste duin had hij de kijker en het horloge gevonden. Halverwege het strand hielden de sporen op.

Had hij toen iets gedacht?

Ris schudde zijn hoofd. Hij zat in het midden van de pompeuze leren bank. Achter hem brandde een grote vernikkelde staande lamp. Een uitgezakte vijftiger, geaderd door te veel drank en een te hoge bloeddruk, dacht Wigman.

Hij was langs het strand verder gelopen. De hond liep voor hem uit en had Wijtman gevonden. Hij lag op zijn rug. De ogen van een verdronken man waren akelig om aan te zien. Hij had geprobeerd ze dicht te drukken, maar dat ging niet.

De makelaar was direct naar Lozen gegaan. Maar die was er niet, vulde Wigman aan.

'Toen bent u zeker naar de burgemeester gegaan?'

Ris keek hem opeens wantrouwig aan.

'Hoezo?'

'Nou, de burgemeester is per slot het hoofd van de politie.'

O, bedoelde hij dat zo. Nee, Ris had opgebeld.

Was dat alles?

Ris knikte.

Wigman stond op.

'En het boekje,' zei hij.

'Welk boekje?'

'In de binnenzak van zijn jas zat een notitieboekje.'

'Daar heb ik niet op gelet,' zei de makelaar terwijl hij hem voorging naar de hal. Het rook er naar een zwoel, wat goedkoop parfum. Toch zag hij geen vrouwenkleren aan de kapstok hangen.

'U weet er niets van?'

De makelaar schudde zijn hoofd. 'Het spijt me.'

Wigman keek hem recht in zijn gezicht. Twee spiertjes naast het linkeroog van de makelaar begonnen te trillen. Wigman stak zijn hand uit.

'Bedankt voor de medewerking.'

De makelaar hield de hond bij zijn halsband vast toen Wigman de deur opende.

De rechercheur liep een eindje in het donker langs de muur van de bungalow en bleef toen staan. Hij keek op zijn lichtgevend horloge. Een halve minuut bleef hij staan. Toen liep hij terug naar de deur.

De makelaar deed open. Hij zag vuurrood. Zijn bruine haar zat in de war, alsof hij erdoor gewreven had of zich plotseling en te snel had gebukt om iets te zoeken, te pakken of te verbergen.

'Dat was ik nog vergeten,' zei Wigman.

Hij pakte het boekje voorzichtig uit de hand van de makelaar.

'U moet de groeten van de burgemeester hebben,' zei Wigman. 'Dat moest ik vooral niet vergeten, zei hij.'

Ook de makelaar had geen gevoel voor humor. In ieder geval niet op dit moment. Hij knikte stuurs en sloot de deur.

Onder een lantarenpaal tegenover de aanlegsteiger van de veerboot keek hij het notitieboekje vluchtig in. Er was niets meer van te lezen. Sommige bladzijden zaten aan elkaar geplakt. Andere waren veranderd in een blauwe uitgelopen vlek. Hij klapte het boekje dicht en liep terug naar het hotel.

'Hier is het,' zei hij en legde het boekje op de bar.
Zijlstra legde het kasboekje erop.
'Ziet u wel?'
Wigman knikte en ging op een kruk zitten.
'Waar hebt u het gevonden?'
'Ris had het.'
Zijlstra trok een verbaasd gezicht.
'Hij had het bij nader inzien toch,' zei de rechercheur.
'Een borrel?'
Leo Wigman knikte en keek om zich heen. 'Weinig volk.'
'Wat wil je, een dag na Samhain. Je kunt eigenlijk net zo goed dicht blijven,' zei Zijlstra. 'Alleen vanwege het hotel blijf ik open.'
'Vanwege mij dus,' zei Wigman en wees op het sleutelbord.
Zijlstra lachte.
'Ja,' zei hij.
'Toen ik hier naar toe kwam, zag ik een geraamte in het water drijven,' zei Wigman. 'Een geraamte van zilverpapier dat op triplex was geplakt. Heel eigenaardig.'
'Dat moet nog van Samhain geweest zijn,' zei Zijlstra.
De rechercheur begreep hem niet.
'Vroeger dacht men dat de zielen van de doden op Allerheiligen probeerden terug te keren in hun huizen. Daarom zetten de mensen geraamtes voor hun deuren. Zodat de doden niet binnen konden komen.'
Hij lachte en plukte wat aan de elastieken om de mouwen van zijn overhemd. 'Het is een oud Keltisch feest.'
'Nu begrijp ik het,' zei Wigman. 'Dan ben ik toch niet helemaal voor niets gekomen. Het zat me dwars, begrijpt u dat?'
Jan Zijlstra knikte onzeker.
Leo Wigman stond op. Hij pakte het notitieboekje en dronk zijn borrel leeg. Jan Zijlstra pakte zijn sleutel van het

bord. Een drie met een grote rubberen bal eraan.

'Succes,' zei hij.

'Succes?'

'Met het onderzoek.'

'Het onderzoek heb ik zo juist afgesloten,' zei de rechercheur. 'Maar toch, bedankt.'

Hij hing zijn jas aan de binnenkant van de kamerdeur, deed het licht aan en ging in een rieten stoel bij een rond tafeltje zitten. Hij zat ongemakkelijk, zijn lenden deden pijn. Daarom ging hij na een paar minuten op de rand van het bed zitten. Het licht in de kamer was slecht, maar toch goed genoeg om te zien dat er niets te lezen viel in het boekje van Arend Wijtman. Na een paar minuten bladeren legde hij het op het nachtkastje naast het bed. Hij ging op de sprei liggen met zijn handen onder zijn hoofd. Sommige mensen deden eigenaardig tegen de politie. Jan Zijlstra was volkomen zichzelf geweest toen hij verteld had hoe hij naar het lijk had moeten kijken. Terughoudend, maar toch zichzelf. Het geluid van de druppels bleef hem achtervolgen. De makelaar was ook terughoudend geweest, maar op een heel andere manier. Alsof hij iets te verbergen had. Dat bleek ook wel. Alleen begreep hij niet waarom de man het boekje niet tegelijk met het lichaam had afgegeven. Dat klopte niet. Dat was niet logisch.

Hij pakte het boekje en hield het met gestrekte armen opengevouwen voor zich. Hier en daar een herkenbare letter, meer niet. Eigenlijk moest hij Van Beem nog terugbellen. Hij had het beloofd, maar hij deed het niet. Het onderzoek was afgelopen.

Hij zwaaide zijn benen van het bed, stond op en liep naar de deur. Hij duwde het notitieboekje in de binnenzak van zijn jas. De jas viel over hem heen. Lusje gebroken. Hij trok de jas van zijn hoofd en hing hem terug. Het boekje stak half uit de binnenzak. Hij is te kort, dacht hij. En de zakken zijn niet diep genoeg.

Toen trok hij het groene gordijn dicht, zodat hij zichzelf niet langer in het glas weerspiegeld zag, kleedde zich uit en ging naar bed.